Anwendung eines effektive

Elohor Oghens-Ogedegbe

Anwendung eines effektiven Kundenbeziehungsmanagements

zur Verbesserung des Umsatzwachstums der Zenith Bank

ScienciaScripts

Cover image: www.ingimage.com

This book is a translation from the original published under ISBN 978-620-7-45580-5.

Publisher:
Sciencia Scripts
is a trademark of
Dodo Books Indian Ocean Ltd. and OmniScriptum S.R.L publishing group

120 High Road, East Finchley, London, N2 9ED, United Kingdom
Str. Armeneasca 28/1, office 1, Chisinau MD-2012, Republic of Moldova, Europe

ISBN: 978-620-3-24426-7

Danksagung

Ich möchte mich bei den folgenden Personen bedanken, ohne die ich nicht in der Lage gewesen wäre, diese Forschungsarbeit abzuschließen und mein Masterstudium zu absolvieren.

Ich danke dem Herrn, dem Allmächtigen, für seine Gnade, Weisheit und Kraft während dieser Zeit, um mein MBA-Programm erfolgreich abzuschließen.

Ich bin vor allem meinem Doktorvater, Professor Ayotunde Adebayo, dankbar, der mich mit seinem Wissen und seiner Kenntnis der Materie durch diese Untersuchung geführt hat.

Mein besonderer Dank gilt der Geschäftsstelle in Person von Prof. Lere Baale, Frau Morenike Adeyeye und dem gesamten Personal der Business School Netherland, Nigeria, für ihre praktischen Ratschläge, Anweisungen und Unterstützung. Ich bin meinem Betreuer für die Unterstützung und Ermutigung dankbar.

Ich finde keine Worte, um meinen Kollegen und Managern bei der Zenith Bank für ihre Geduld und ihr Verständnis während dieses Projekts zu danken. Ihre Unterstützung hat viel dazu beigetragen, dass die Studie fertiggestellt werden konnte. Allen meinen Familienmitgliedern danke ich für ihre Liebe.

Ich schätze alle Fakultätsmitglieder der BSN. Ihr seid alle wunderbar. Juanita Bower und Yvette Baker bin ich dankbar für all ihre Unterstützung. Vielen Dank auch an meinen Mann und meine Kinder. Ihnen allen sage ich ein großes Dankeschön.

Inhaltsübersicht

Abstrakt

Das Hauptziel eines jeden Unternehmens ist es, Kunden zu gewinnen, da die Zufriedenheit und das Vertrauen der Kunden dem Unternehmen Wiederholungskäufe bescheren und somit die organisatorische Leistung des Unternehmens verbessern. Die Kunden sind äußerst preisbewusst, klüger, weniger nachsichtig und haben höhere Ansprüche. Die Herausforderung besteht daher darin, loyale und begeisterte Kunden zu gewinnen, die sich, wenn sie im Unternehmen bleiben, als wirklich profitabel erweisen und schließlich zu Botschaftern des Unternehmens werden. Viele Unternehmen haben erkannt, dass die immateriellen Aspekte einer Kundenbeziehung von der Konkurrenz nicht so leicht kopiert werden können und daher einen einzigartigen Wettbewerbsvorteil darstellen. Bei der Zenith Bank ist die Kundenabwanderung ein großes Problem. Die Bank hat "Leidenschaft für die Kunden" als einen ihrer Grundwerte, doch scheint dies ein leeres Wort zu sein, da sich die Mitarbeiter der Organisation nicht übermäßig um Kundenzufriedenheit, Loyalität und Kundenbindung kümmern. Die Beziehungen zu den Kunden sind nach wie vor auf der Transaktionsebene angesiedelt, und die Verantwortlichen scheinen es nicht eilig zu haben, diese auf eine Beziehungsebene zu bringen, selbst angesichts eines scheinbar wettbewerbsorientierten Bankensektors. Ziel der Studie war es, zu untersuchen, wie die Anwendung der Strategie des Kundenbeziehungsmanagements das Wachstum der Zenith Bank im Hinblick auf die Gewinnung von Marktanteilen und Gewinnen fördern würde. Das Forschungsdesign war eine deskriptive Umfrage. Die Stichprobengröße betrug 578, davon 362 für Mitarbeiter und 216 für Kunden. Von den 724 Fragebögen (362 für CRMQFS und 362 für DFSDIBQ), die an die Mitarbeiter verschickt wurden, kamen nur 345 vollständig ausgefüllt zurück und wurden daher für die Analyse verwendet. Die Stichprobenverfahren waren geschichtete und verhältnismäßige Stichproben für das Personal und gezielte Stichproben für die Kunden. Bei den Kunden wurden von 216 Exemplaren des CRMQFHNWC-Fragebogens nur 203 Exemplare vollständig ausgefüllt und somit für die Analyse verwendet. Die Datenerhebung und -analyse bezog sich auf das effektive Kundenbeziehungsmanagement in der Zenith Bank. Die Ergebnisse zeigten, dass das Kundenbeziehungsmanagement der Bank leichte Mängel aufweist und dringend Abhilfe geschaffen werden muss. Um die Ziele dieser Untersuchung vollständig zu erfüllen, wurden drei Optionen vom Forscher für eine mögliche Bewertung aufgeworfen - das Instrument der Entscheidungsmatrix wurde verwendet, um die beste Option für die Umsetzung auszuwählen. Die Anwendung der Differenzierungsstrategie wird als die geeignetste Option für den Einsatz in der Zenith Bank angesehen. Ein strukturierter Implementierungsplan für die Anwendung der Differenzierungsstrategie wurde zur Umsetzung empfohlen.

Schlüsselwörter: Kundenbeziehungsmanagement, Kundenbindung, Kundenzufriedenheit, Differenzierung

KAPITEL 1
EINFÜHRUNG

1.1 Hintergrund der Studie

Das Ziel oder Hauptziel eines jeden Unternehmens ist es, Kunden zu gewinnen, da die Zufriedenheit und das Vertrauen der Kunden dem Unternehmen Wiederholungskäufe bescheren und somit die organisatorische Leistung des Unternehmens verbessern (Adiyanto, 2021). Die Kunden von heute werden als Könige betrachtet, und es wird immer schwieriger, sie zufriedenzustellen und zufriedenzustellen. Sie sind extrem preisbewusst, klüger, weniger nachsichtig und stellen mehr Ansprüche. Sie haben viele andere Konkurrenten mit gleichen oder besseren Produkt-/Dienstleistungsangeboten im Nacken. Die heutige Aufgabe besteht nicht gerade darin, zufriedene Kunden zu produzieren, da zahlreiche Konkurrenten dies leicht tun können. Die Herausforderung besteht vielmehr darin, loyale und begeisterte Kunden zu gewinnen, die, wenn sie im Unternehmen verbleiben, sich als wirklich profitabel erweisen und schließlich zu Botschaftern des Unternehmens werden. Unternehmen erkennen zunehmend den Wert des Aufbaus enger Beziehungen zu ihren Kunden als Mittel zur Erhöhung der Kundenbindung (Unnikrishnan & Johnson, 2012). Viele Unternehmen haben erkannt, dass die immateriellen Aspekte einer Beziehung von der Konkurrenz nicht so leicht kopiert werden können und daher einen einzigartigen Wettbewerbsvorteil darstellen. Bei der Zenith Bank gibt es ein großes Problem mit der Kundenabwanderung. Die Bank hat "Leidenschaft für die Kunden" als einen ihrer Grundwerte, doch scheint dies ein leeres Wort zu sein, da sich die Mitarbeiter der Organisation nicht übermäßig um Kundenzufriedenheit, Loyalität und Kundenbindung kümmern. Die Beziehungen zu den Kunden sind immer noch auf der Transaktionsebene angesiedelt, und die Verantwortlichen scheinen es nicht eilig zu haben, diese auf eine Beziehungsebene zu bringen, selbst angesichts eines scheinbar wettbewerbsorientierten Bankensektors. Das Management der Zenith Bank ist sehr darauf bedacht, in der nigerianischen Bankenbranche etwas zu bewirken. Sie haben erkannt, dass ständige Preissenkungen keine Lösung sind, da sie die Gewinnspanne erheblich beeinträchtigen und möglicherweise nicht den erwarteten Marktanteil bringen. Die Geschäftsleitung stellt sich Fragen wie: "Welche Ideen und Strategien können eingesetzt werden, um dem Wettbewerb wirksam zu begegnen, ohne in einen Preiskrieg zu verwickeln? Wie kann sich die Zenith Bank auf ihrem Zielmarkt so differenzieren, dass die Kunden ihre Dienstleistungen gerne in Anspruch nehmen? Wie kann die Bank ihre Kunden dauerhaft an sich binden? Wie kann die Kundenabwanderung durch Beziehungsmanagement deutlich reduziert werden? Der Forscher hat diese Fragen als einen wichtigen Bedarf in der Bank identifiziert und beschlossen, diese Untersuchung mit dem Ziel durchzuführen, die Kundenabwanderung und die Kontopause zu verringern.

1.1.1 Hintergrund des Unternehmens

Die Zenith Bank Plc (eine Geschäftsbank in Nigeria) wurde im Mai 1990 in Nigeria registriert. Die Bank nahm ihre Tätigkeit im Juli 1990 als Geschäftsbank auf. Die Bank begann als Gesellschaft mit beschränkter Haftung, wurde aber im Juni 2004 in eine Gesellschaft mit beschränkter Haftung umgewandelt. Nach einem erfolgreichen Börsengang wurde die Bank im Oktober 2004 an der Nigeria Stock Exchange (NSE) notiert. Die Bank hat derzeit etwa eine Million Aktionäre. Die Bank ist auch an der Londoner Börse (LSE) notiert, nachdem sie erfolgreich Aktien im Wert von 850 Millionen Dollar zu je 6,80 Dollar an die Börse gebracht hat. Die Bank ist im Laufe der Jahre gewachsen und hat in dieser Zeit erfolgreich gearbeitet.

Die Zenith Bank hat ihren Hauptsitz in Lagos, Nigeria, und mindestens eine Filiale in allen Bundesstaaten des Landes und im Federal Capital Territory. Die Bank verfügt über mehr als 500 Filialen und Geschäftsstellen in den Handelszentren Nigerias. Die Bank hat Tochtergesellschaften in Ghana - Zenith Bank (Ghana) Limited; Sierra Leone - Zenith Bank (Sierra Leone) Limited und Gambia - Zenith Bank (Gambia) Limited. Die Bank hat eine Repräsentanz in der Volksrepublik China. Die Bank plant außerdem, die Marke Zenith in naher Zukunft auf andere afrikanische, europäische und asiatische Märkte zu bringen.

Die Bank hat eine hundertprozentige Tochtergesellschaft im Vereinigten Königreich, die 2007 von der Financial Services Authority (FSA) des Vereinigten Königreichs zur Gründung der Zenith Bank (UK) Limited zugelassen wurde.

Die Zenith Bank Plc ist ein Marktführer im Bereich des digitalen Bankwesens im Lande. Sie ist die führende Organisation im Lande, was die Entwicklung und den Einsatz einer robusten Informations-/Kommunikations- und E-Commerce-Infrastruktur angeht, um Produkte und Dienstleistungen zu entwerfen und zu entwickeln, die den Bedürfnissen ihrer bestehenden und potenziellen Kunden entsprechen. Die Bedürfnisse der Kunden sind ein Schlüsselfaktor bei der Konzeption, Entwicklung und Einführung von Produkten.

Die Zenith Bank ist zweifelsohne ein Marktführer bei der Konzeption, Entwicklung und Einführung verschiedener E-Banking-Kanäle. Die Marke der Bank ist zum Synonym für den Einsatz robuster und hochmoderner Technologien im Bankensektor geworden. Unter strikter Einhaltung der weltweit besten Praktiken und ethischen Grundsätze sowie einer ausgeprägten Kultur der Exzellenz kombiniert die Bank Kundenservice, Visionen, Fachwissen und Spitzentechnologie, um Produkte und Dienstleistungen zu entwickeln und zu erbringen, die die Wünsche und Erwartungen ihrer Kunden antizipieren und erfüllen, den Wohlstand der Kunden steigern und Werte für ihre Interessengruppen schaffen.

Die Zenith Bank Plc, die im Mai 1990 von Jim Ovia (dem heutigen Vorsitzenden der Bank) gegründet wurde, hat sich im Laufe der Jahre zu einem der größten, rentabelsten und führenden Finanzinstitute in Nigeria und Afrika entwickelt. Die Bank gehört derzeit zu den zwei größten und rentabelsten Banken in Nigeria und ist die sechstgrößte Bank in Afrika. Die Bank hat ihr Eigenkapital von 20 Millionen N im Jahr 1990 auf 871 Milliarden N im September 2019 erhöht. Die Bank profitiert weiterhin von ihrer starken Unternehmenskultur, die auf Professionalität, exzellentem Kundenservice, Kundentreue und Filialgerechtigkeit sowie starken Werten beruht. Dies ist das Fundament, auf dem die Bank gegründet wurde.

Die Zenith Bank Plc wurde im Mai 1990 gegründet und nahm im Juli 1990 ihre Tätigkeit als Geschäftsbank auf. Seit dem 17. Juni 2004 ist die Bank ein börsennotiertes Unternehmen und wurde am 21. Oktober 2004 an der Nigerianischen Börse (NSE) notiert. Mit rund einer Million Aktionären ist die Zenith Bank derzeit die größte nigerianische Bank nach Tier-1-Kapital. Die Bank ist auch an der Londoner Börse (LSE) notiert. Laut dem ungeprüften 9-Monats-Finanzbericht zum 30. September 2019 belief sich der Bruttogewinn der Bank auf 491 Mrd. N gegenüber 414 Mrd. N im Vorjahr. Der Gewinn vor Steuern und der Gewinn nach Steuern betrugen

176 bzw. 150 Mrd. N. Die Kundeneinlagen beliefen sich auf 3,95 Mrd. N gegenüber 3,27 Mrd. N im Vorjahr. Die Gesamtaktiva der Bank beliefen sich auf 5,97 Mrd. N im Vergleich zu 5,61 Mrd. N im Vorjahr. Das gesamte Aktionärsvermögen belief sich im September 2019 auf 871 Mrd. N.

Die Zenith Bank wird durch die Übernahme der Geschäftsbanklizenz durch eine internationale Organisation weiterhin ihre Kernbankdienstleistungen und spezialisierte Finanzdienstleistungen wie die Rentenverwaltung anbieten. Die Bank hat ihre Dienstleistungen in den Bereichen Versicherung, Kapitalmarkt, Treuhänderschaft, Registerführung, Hypotheken, Finanzberatung und andere nicht zum Kerngeschäft gehörende Bankdienstleistungen eingestellt.

Zu den Kerngeschäften der Zenith Bank gehören:

- Firmenkundengeschäft und Investmentbanking
- Geschäfts- und Privatkundengeschäft
- Persönliches und privates Bankwesen
- Handelsdienstleistungen und Devisen
- Schatzamt und Cash Management Dienstleistungen
- Sonstige Nicht-Bank-Finanzdienstleistungen, hauptsächlich über Tochtergesellschaften

1.1.2 Hintergrund des Problems

Abu Aliqah (2012) stellte fest, dass die kritische strategische Entscheidung eines Unternehmens nicht darin besteht, was zu produzieren ist. Vielmehr geht es darum, wie sich das Unternehmen mit seinem Angebot von dem der Wettbewerber unterscheidet. Es muss auch eine Entscheidung darüber getroffen werden, wie die Angebote den Bedürfnissen des Marktes entsprechen und welche Kompetenzen des Unternehmens eingesetzt werden müssen, um dieses Ziel zu erreichen. Eine weitere Frage ist, ob eine Strategie zur Unternehmensdifferenzierung die Nutzung der bestehenden Möglichkeiten oder die Erschließung neuer Möglichkeiten in Betracht ziehen sollte (Amoako-Gyampah & Acquaah, 2008). Kurzfristig kann die Ausnutzung von Chancen für das Unternehmen von Vorteil sein, aber langfristig schafft die Erkundung neuer Möglichkeiten das, was wir als langfristigen Wettbewerbsvorteil bezeichnen können. Die von einem Unternehmen gewählte Geschäftsstrategie sollte daher darauf abzielen, die Frage zwischen der kurzfristigen Nutzung aktueller Chancen und der langfristigen Erkundung neuer Chancen zu lösen (Acquaah & Yasai-Ardekani, 2008).

Das Erreichen der Unternehmensziele hängt von der Effizienz des Unternehmens und der Fähigkeit ab, die Anforderungen und Bedürfnisse der Kunden zum richtigen Zeitpunkt zu erfüllen. Die Marketingaktivitäten von Unternehmen zielen darauf ab, die Bedürfnisse der Kunden zu erkennen und zu befriedigen. Aus diesem Grund muss ein Unternehmen seine Tätigkeit analysieren und sicherstellen, dass ein Wettbewerbsvorteil geschaffen wird, um die Konkurrenten zu übertreffen. Das Bestreben, innovative Lösungen zu entwickeln, die den Anforderungen der Kunden gerecht werden, hat im Laufe der Jahre zugenommen, wodurch sich der Wettbewerb im globalen Geschäftsumfeld verschärft hat. Es ist von größter Bedeutung, dass die Unternehmen flexibel genug sind, um auf die Bedürfnisse der Kunden einzugehen, da dies eine der wichtigsten Möglichkeiten ist, um die Zufriedenheit der Kunden zu gewährleisten und ihre Treue zu stärken. Auch die Notwendigkeit, die operativen Geschäftsprozesse zu verbessern, hat aufgrund des Strebens nach mehr Effizienz zugenommen, da dies die Fähigkeit, auf die Anforderungen des Marktes zu reagieren, stark beeinflusst. Der nigerianische Bankensektor hat eine neue Dimension erreicht, da es neue Unternehmen gibt, eine größere Anzahl von Produktangeboten zur Verfügung steht und die Kunden die Möglichkeit haben, aus einer Vielzahl von Produktangeboten frei zu wählen. Die nigerianischen Banken stehen nun vor der Herausforderung, Kunden zu binden und ihren Marktanteil um jeden Preis zu erhöhen. Diese Herausforderungen belasten die Unternehmen, und deshalb werden Strategien entwickelt, um den wachsenden Herausforderungen der Unternehmen zu begegnen. In Anbetracht dessen soll in diesem Beitrag die Einführung einer effektiven Strategie für das Kundenbeziehungsmanagement, die zu einer Differenzierung der Produkte und Dienstleistungen der Zenith Bank führt, eingehend analysiert werden.

1.2 Beschreibung des Problems

Der harte Wettbewerb und das unsichere Geschäftsumfeld im nigerianischen Bankensektor haben die Zenith Bank wirtschaftlich belastet und damit das Ertragswachstum in Bezug auf Marktanteil und Rentabilität beeinträchtigt.

1.3 Zweck der Studie

Ziel der Studie war es, zu untersuchen, wie die Anwendung der Kundenbeziehungsmanagement-Strategie das Ertragswachstum der Zenith Bank steigern würde.

1.4 Ziele der Forschung

In Anbetracht des untersuchten Projekts wurde eine Reihe von Zielen entwickelt. Diese Ziele sind im Folgenden aufgeführt:

1) Ermittlung der Ansichten der Mitarbeiter der Zenith Bank über ihre Produkte und die Einführung einer Strategie für das Kundenbeziehungsmanagement sowie deren Auswirkungen auf das Ertragswachstum
2) Ermittlung der Ansichten der Kunden der Zenith Bank über ihre Produkte und die Anwendung der Strategie des Kundenbeziehungsmanagements.
3) Ermittlung der Produkt-/Dienstleistungsunterscheidungsmerkmale, die das Kundenbeziehungsmanagement der Zenith Bank verbessern können.

1.5 Forschungsfragen

Ausgehend von den oben genannten Forschungszielen wurde eine Reihe von Forschungsfragen entwickelt. Diese Fragen sind im Folgenden aufgeführt:

1) Ermittlung der Ansichten der Mitarbeiter der Zenith Bank über ihre Produkte und die Einführung einer Strategie für das Kundenbeziehungsmanagement sowie deren Auswirkungen auf das Ertragswachstum
2) Ermittlung der Ansichten der Kunden der Zenith Bank über ihre Produkte und die Anwendung der Strategie des Kundenbeziehungsmanagements.
3) Ermittlung der Produkt-/Dienstleistungsunterscheidungsmerkmale, die das Kundenbeziehungsmanagement der Zenith Bank verbessern können

1.6 Theoretischer Rahmen

Für die Studie wurden drei theoretische Rahmenwerke verwendet. Der erste ist das Customer Loyalty Framework von Loyalty Research Centre (LRC) (2014), der zweite ist das Customer Relationship Management Model von Winer (2001) und der dritte ist Porter's Generic Strategies von Porter (1985).

1.6.1 Rahmen für die Kundenbindung

Das Loyalty Research Centre hat 2014 einen theoretischen Rahmen für die Kundentreue entwickelt. Dieser von diesem angesehenen Gremium von Fachleuten entwickelte Rahmen wurde in diesem Papier verwendet. Der Rahmen konzentriert sich auf die täglichen Interaktionen (basierend auf den Wahrnehmungen der Kunden) zwischen dem Kunden und dem Unternehmen. Es wird davon ausgegangen, dass diese Interaktionen die Gesamtwahrnehmung des Unternehmens beeinflussen und somit zu loyalen Einstellungen und Verhaltensweisen führen.

Abbildung 1.1 Kundenbindungsrahmen. **Quelle** (LRC, 2014)

Dieses Papier konzentriert sich auf ein relevantes Rahmenwerk, das dabei helfen würde, Kundenloyalität aufzubauen, um das Umsatzwachstum des Unternehmens zu fördern. Die Anwendung des oben genannten Rahmens auf ein Unternehmen würde die Aufteilung der Kundenbeziehungen in mehrere Segmente erfordern. Diese Segmente beginnen mit den täglich durchgeführten Aktivitäten und enden mit entscheidenden Verhaltensweisen, die sich auf die Loyalität der Kunden auswirken (LRC, 2014). Um wichtige Maßnahmen für das Kundenbindungsmanagement zu ermitteln, muss ein Unternehmen verstehen, wie einzelne Kunden die Leistung der von einem Unternehmen angebotenen Produkte und Dienstleistungen wahrnehmen. Der oben dargestellte Rahmen zeigt Erfahrungen, Verhaltensweisen und Interaktionen auf, die den Erfolg eines Unternehmens maßgeblich beeinflussen (LRC, 2014).

1.6.2 Kundenbeziehungsmanagement-Modell von Winer (2001)

Der in dieser Untersuchung verwendete Rahmen wurde von Winer (2001) entwickelt. Der von diesem Wissenschaftler entwickelte CRM-Rahmen hilft, sich auf die Bindung von Kunden zu konzentrieren und ihre Loyalität zu gewährleisten, da dies zu wiederholten Geschäften und damit zur Steigerung des Umsatzes führt. Diese Studie konzentriert sich auf die Bedeutung der Implementierung eines effektiven CRM-Rahmens in der Zenith Bank mit dem Ziel, die Kundenbeziehungen zu verbessern, den Service für die Kunden zu verbessern und die Gewinnung und Bindung von Kunden sicherzustellen, was zu wiederholten Geschäften führt.

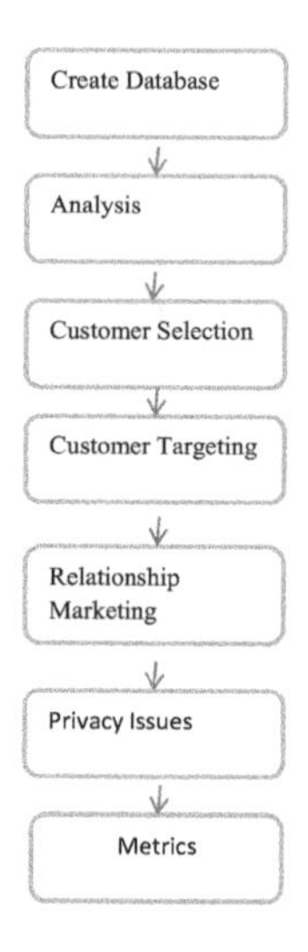

Abbildung 1.2 Modell des Kundenbeziehungsmanagements. **Quelle** (Winer, 2001)

Der Begriff Customer Relationship Management (CRM) hat die Aufmerksamkeit von Unternehmen in aller Welt auf sich gezogen. Große Unternehmen beginnen, Strategien zu entwickeln, die sich auf die Schaffung eines hervorragenden Kundendienstes konzentrieren. Diese Organisationen setzen auch Tools und Techniken ein, die ein effektives Kundenbeziehungsmanagement ermöglichen. In dem Bestreben, das Verhalten der Kunden vollständig zu verstehen, beginnen die Unternehmen, das Management der Kundenbeziehungen als entscheidend für den Erfolg eines Unternehmens zu betrachten (Winer, 2001).

Dies ist das Zeitalter, in dem die Technologie die Art und Weise verändert hat, wie Unternehmen mit ihren Kunden in Beziehung treten, und als solche hat diese Entwicklung die vollständige Integration von Geschäftsbereichen wie Vertrieb, Marketing und Kundendienst bewirkt. Für Praktiker ist CRM daher ein innovativer Ansatz, um ein tiefes Verständnis für das Verhalten eines Kunden zu erlangen und so Strategien zu entwickeln, die dazu beitragen, die Beziehung zwischen dem Kunden und dem Unternehmen zu fördern (Lakshmi, 2020).

1.6.3 Allgemeine Strategien von Porter

Die Umsetzung der generischen Strategien von Porter wurde als grundlegender Rahmen für diese Studie verwendet. Die Struktur wurde 1985 entwickelt und stellt sicher, dass ein Unternehmen durch seine strategischen Initiativen einen Wettbewerbsvorteil erlangt. Der Rahmen legt den Schwerpunkt auf drei strategische Schlüsselinitiativen, nämlich Differenzierung, Kostenführerschaft und Fokusstrategie. Die Anwendung dieser Strategie in der Zenith Bank zielt auf die Erzielung von Unternehmenswachstum in Form von Ertragsgenerierung, verbessertem Cashflow, verbesserten organisatorischen Fähigkeiten und der Erzielung von Wettbewerbsvorteilen ab.

Tabelle 1.1 Generische Strategien von Porter

Cost leadership	Type 1:	Low Cost - Strategy	It offers products or services to a wide range of customers at the lowest Price available on the market.	Targets a large market
	Type 2:	Best Value- Strategy	It offers products or services to a wide range of costumers at the best Price value available on the market; the best value strategy aims to offer customers a range of products or services at the lowest Price available compared to a rival's products with similar attributes	
Differentiation	Type 3:	Differentiation	Strategy aimed at producing products services considered unique industry wide and directed at consumers who are relatively Price insensitive	
Focus	Type 4:	Focus- Low Cost	It offers products or services to a small range (niche group) of customers at the lowest Price available on the market	Targets a small market. Full the needs of small groups of consumers
	Type 5:	Focus –Best value	It offers products or services to a small range of customers at the best price-value available on the market. Sometimes called focused differentiation.	

Quelle: https://refreshbreeze.weebly.com/48-michael-porters-5-generic-strategies.html. Abgerufen am 25/04/2022

1.7 Bedeutung der Studie

Diese Studie wird für die gesamte Organisation von Nutzen sein, insbesondere aber für das Managementteam, die Buchhaltungs- und Finanzabteilung, die Marketingabteilung und die Betriebsabteilung der Bank. Die Studie wird das Kundenbeziehungsmanagement und die organisatorische Effizienz verbessern und damit die Gesamtleistung der Bank steigern, da sich die Gewinnspannen bei Umsetzung der Empfehlungen zunehmend positiv entwickeln. Auch andere Banken und Finanzinstitute, die in einem ähnlichen Bereich tätig sind, können von der Studie profitieren.

1.8 Beschränkung der Studie

Die Voreingenommenheit der Studie besteht darin, dass der Forscher an der aktuellen Untersuchung beteiligt ist, die sich nur mit dem effektiven Kundenbeziehungsmanagement in der Zenith Bank befasst und sich in erster Linie auf das Ertragswachstum und die organisatorische Effizienz konzentriert.

1.9 Anwendungsbereich und Abgrenzung

Die Grundgesamtheit der Mitarbeiter der Zenith Bank in Nigeria beträgt 6337. Die Studie deckt keine anderen Banken in Nigeria ab.

1.10 Forschungsmethodik

1.10.1 Forschungsdesign

Das Forschungsdesign ist die quantitative Methode durch die Verwendung eines vom Forscher entwickelten Fragebogens. Die Grundlage für das Erhebungsdesign liegt in seiner Effektivität, die Meinung der Befragten in der Studie zu ermitteln (Zikmund, 1998). Dieser quantitative Ansatz wird für die Struktur der Fragebögen zum Kunden- und Mitarbeiter-Kundenbeziehungsmanagement verwendet.

1.10.2 Forschungsinstrument

Die beiden verwendeten Forschungsinstrumente wurden speziell vom Forscher entworfen und für die Befragung der Mitarbeiter und Kunden der Bank zum Thema Kundenbeziehungsmanagement eingesetzt. Für die Mitarbeiterbefragung wurden 19 sorgfältig ausgearbeitete Fragen entworfen, während der Fragebogen für die Kundenbefragung 14 Fragen enthielt. Der Forscher verwendete eine Likert-Skala von eins (1) bis vier (4), um die beiden in dieser Studie verwendeten Fragebögen zu gestalten. Diese Kunden und Mitarbeiter sind wichtige Stakeholder, deren Meinungen zum Forschungsthema von Bedeutung sind, um nützliche Antworten für die Analyse zu liefern.

1.10.3 Stichprobenrahmen

Für die Studie wurden zwei Stichproben verwendet, nämlich die Mitarbeiter und die vermögenden Kunden der Bank mit einem jährlichen Kontostand von 20 Milliarden Naira. Die Grundgesamtheit der Mitarbeiter der Zenith Bank in Nigeria beträgt 6.337, die die Zielpopulation bilden. Die Verteilung der Grundgesamtheit ist wie folgt:

- Höheres Personal - 72
- Mittleres Personal - 283
- Nachwuchskräfte - 5982

Gesamt - 6,337

Der Stichprobenumfang von 362 wird aus der Zielpopulation von 6337 mit Hilfe eines Stichprobenumfangsrechners bei einem Konfidenzniveau von 95 % und einem Konfidenzintervall von 5 ermittelt. Die gesamte Stichprobenpopulation sind Mitarbeiter der Zenith Bank. Bei der Stichprobentechnik handelt es sich im Wesentlichen um eine einfache Zufallsstichprobe, die für die quantitative Datenerhebung und -analyse verwendet wird. Die Stichprobengröße für vermögende Kunden beträgt 216, die für die Studie gezielt ausgewählt wurden.

1.10.4 Datenerfassung und -analyse

In dieser Studie wendet der Forscher eine deduktive Forschungsmethode mit einer quantitativen Ausrichtung an. Auf der Grundlage dieses Forschungsansatzes werden Fragebögen eingesetzt, um von den Mitarbeitern der Zenith Bank Daten über den aktuellen Stand des effektiven Kundenbeziehungsmanagements in der Bank zu erhalten. Der Forscher verwendete eine Likert-Skala von eins (1) bis vier (4), um die beiden in dieser Studie verwendeten Fragebögen zu entwerfen. Die Fragebögen wurden erstellt, um Daten von den vermögenden Kunden und Mitarbeitern der Zenith Bank zu sammeln. Diese Fragebögen wurden auf alle drei in Kapitel eins dieser Arbeit definierten Forschungsziele abgestimmt. Die im Rahmen dieser Untersuchung gesammelten Daten wurden mit Hilfe der Methode der Datentabellierung analysiert. Diese Methode zielt darauf ab, die von den Mitarbeitern und Kunden der Zenith Bank gesammelten Daten in einem Tabellenformat darzustellen, wodurch der Forscher in die Lage versetzt wird, Trends auf der Grundlage der Häufigkeitsverteilung der Befragten zu jeder Frage zu erkennen.

1.11 Aufbau der Dissertation

Die vorliegende Dissertation ist in sieben Kapitel gegliedert. Dieses Kapitel enthält die Hintergrundinformationen zu dieser Studie. Es zeigt auch die Ziele der Studie und ihre Bedeutung sowie den Forschungsplan auf. Im nächsten Kapitel wurde die einschlägige Literatur sowohl zu den Variablen in den Zielen dieser Studie als auch zum theoretischen Rahmen, auf dem diese Studie basiert, geprüft. In Kapitel 3 wurde die Forschungsmethodik und das Forschungsdesign detailliert beschrieben, um die Ziele der Studie zu erreichen. In Kapitel 4 stellte der Forscher die Analysen der im Rahmen der Feldstudie gesammelten Daten vor. Außerdem wurden die Interpretationen der Forscher zu den Ergebnissen dargelegt. In Kapitel 5 stellte der Forscher verschiedene umsetzbare Optionen vor, zog Schlussfolgerungen aus der Studie und sprach Empfehlungen aus. In Kapitel 6 wurden die Umsetzung der ausgewählten Option, die Umsetzung eines effektiven Kundenbeziehungsmanagements und die Herausforderungen, die bei der Umsetzung zu erwarten sind, vorgestellt, und in Kapitel 7 wurden die Überlegungen des Forschers dargelegt.

1.12 Definition von Begriffen

In dem Papier wurden einige Begriffe operationalisiert, um bestimmte Phänomene und Konzepte zu beschreiben - und als solche müssen diese Begriffe effektiv definiert werden.

- **Produkt:** Das sind die Waren und Dienstleistungen, die zum Verkauf angeboten werden. Im Fall der Zenith Bank ist es die Bankdienstleistung, die ihren Kunden angeboten wird

- **Die Organisation:** Zenith Bank Plc, die Organisation, die als Fallstudie für diese Untersuchung verwendet wird, und das Unternehmen, in dem der Forscher arbeitet
- **Bankwesen:** Dies bezieht sich auf die von Banken erbrachten Dienstleistungen
- **Bank:** Dies bezieht sich auf den physischen Standort, an dem Banken ihre Dienstleistungen anbieten.
- **Operationen:** Hier werden die Tätigkeiten im Zusammenhang mit der Erbringung von Bankdienstleistungen erläutert
- **Kundenbeziehungsmanagement:** Dies sind Strategien, die von Unternehmen eingesetzt werden, um die Interaktion und das Engagement zwischen dem Unternehmen und seinen Kunden zu steuern.
- **Kundenbindung:** Dies ist die Fähigkeit eines Unternehmens, die Kundenabwanderungsrate zu verringern.
- **Kundenzufriedenheit:** Sie ist ein Maß dafür, wie die Produkte eines Unternehmens die Erwartungen der Kunden oder Klienten erfüllen oder übertreffen.

1.13 Schlussfolgerung

Kapitel eins lieferte Hintergrundinformationen für die Studie. Außerdem wurden die Ziele und die Bedeutung der Studie dargelegt und eine Zusammenfassung des Forschungsinhalts gegeben. Das folgende Kapitel gibt einen Überblick über die einschlägige Literatur zu den verschiedenen Elementen der Forschungsvariablen.

KAPITEL ZWEI
LITERATURÜBERBLICK

2.1 Einleitung

Dieses Kapitel gibt einen Überblick über die Literatur zum Thema Kundenbeziehungsmanagement und Differenzierung von Produkten/Dienstleistungen. Ein Schwerpunkt liegt auf dem Konzept des Kundenbeziehungsmanagements, den entscheidenden Faktoren, die das CRM beeinflussen (Menschen, Prozesse und Technologie), und der Kundenanalyse. Ein weiterer Schwerpunkt liegt auf der Arbeit von Porter (1985), die sich auf seine generischen Strategien für Wettbewerbsvorteile bezieht. Weitere Untersuchungen von Payne und Frow (2006), in denen strategische Praktiken im Zusammenhang mit Porters generischer Strategie ermittelt wurden, wurden ebenfalls herangezogen. In der Studie wurde auch die Arbeit von Johnson et al. (2008) gewürdigt, die die generische Strategie nutzten, um eine marktorientierte generische Strategie zu entwickeln, um die Verwechslung von Porters Kostenführerschaft mit einem niedrigen Preis zu reduzieren; dabei wurde die von Bowman 1995 entwickelte Strategieuhr verwendet (Choudhury & Harrigan, 2014). Der Forscher erwarb mehr Wissen über das Konzept des Wettbewerbsvorteils, die verschiedenen Strategien, die eingesetzt werden können, um einen Wettbewerbsvorteil zu haben und aufrechtzuerhalten, und inwieweit die Marktführerschaft durch einen Wettbewerbsvorteil beeinflusst wird.

2.2 Das Konzept des Kundenbeziehungsmanagements

Dadzie (2017) zufolge ist Marketing auf allen Organisationsebenen aufgrund der jüngsten Entwicklung und der Anforderungen des neuen Zeitalters von wesentlicher Bedeutung. Daher kann keine Organisation ohne Marketing ihre Ziele erreichen. Was treibt Organisationen dazu, neue Methoden zu finden, um ihre Beziehungen zu den Kunden zu verbessern? Die Unternehmensleitung im Allgemeinen und die Banken im Besonderen müssen CRM einführen, langfristige Beziehungen zu den Kunden aufbauen, sie nicht verlieren und ihnen das Gefühl geben, dass ihnen das Unternehmen gehört. Dies würde in der Praxis helfen, Wettbewerbsvorteile zu erzielen (Das & Ravi, 2021). Daher sind Feldstudien und Untersuchungen, die den Zustand einiger Bankorganisationen in Nigeria analysieren, eine der grundlegenden Möglichkeiten, sie zu entwickeln und zu erhalten, um die Entwicklungsziele zu erreichen. Dieser Abschnitt zielt darauf ab, die Rolle von CRM bei der Erzielung eines Wettbewerbsvorteils zu untersuchen. Außerdem soll ein wichtiger Sektor untersucht werden, der durch mehrere Bankorganisationen repräsentiert wird, die als eine der wichtigsten Säulen der nigerianischen Volkswirtschaft gelten.

Aus der Studie von Dhingra und Dhingra (2013) geht hervor, dass durch die Anwendung des Managements von Kundenbeziehungen die folgenden Ziele erreicht werden können: Erfüllung einer hohen Qualität, die die Bedürfnisse der Kunden befriedigt, die Fähigkeit, die Ressourcen der Organisation besser zu organisieren und zu investieren, die Erzielung ausgezeichneter Produktivitätsraten, wobei es durch das Management der Kundenbeziehungen möglich ist, die Aufgaben zu automatisieren, die in der Vergangenheit manuell erledigt wurden.

Butt (2021) nennt die folgenden Ziele: Steigerung des Umsatzes durch das Sammeln von Informationen über Kunden und deren möglichst lange Bindung, hohe Erfolgsquoten durch die Möglichkeit, sich frühzeitig aus unrentablen Geschäften zurückzuziehen und die Zufriedenheit der Kunden durch die Berücksichtigung ihrer Bedürfnisse und Wünsche zu erfüllen.

Sammeln Sie detaillierte Informationen über Kunden durch folgende Maßnahmen: Analyse ihrer Daten. Akquirieren neuer Kunden. Verbesserung der Techniken zur Verwaltung der Kundenbeziehungen. Gesicherte Dienstleistungen präsentieren. Die außergewöhnliche Reaktion auf die Kundenbedürfnisse und die Verbesserung der Vertriebskanäle tragen zur Effizienz und Effektivität des Unternehmens bei und ermöglichen eine bedarfsgerechte Präsentation der Produkte. Der Kundenwert wird durch folgende Maßnahmen erreicht: Erhaltung der Kunden, Steigerung der Gewinne, Verbesserung und Unterstützung der Kundendienste und Aufbau einer virtuellen Gemeinschaft.

Cavallone und Modina (2013) sind der Meinung, dass die Konzentration auf den Kommunikationsprozess mit den Kunden entscheidend ist. Er wies darauf hin, dass das Management der Kundenbeziehungen die folgenden Ziele erreicht: - Verbesserung der Kommunikationsprozesse mit den Hauptkunden, Bereitstellung eines geeigneten Angebots für jeden Kunden, Bereitstellung der maßgeschneiderten Angebote für jeden Kunden über die geeigneten Vertriebskanäle der Banken und Präsentation der geeigneten Angebote für jeden Kunden zum geeigneten Zeitpunkt.

Elena (2016) war daran interessiert, die Dienstleistungskosten zu senken und die Gewinne zu steigern, indem sie die Informationen der Bankkunden nutzt, um die Kosten, den Service, die Gewinne und die Dienstleistungserbringung zu senken, indem sie die Informationen effizient findet und nutzt. Alle Seiten der Organisation werden der Organisation helfen, Freude und Vergnügen in die Herzen der Bankkunden durch das Interesse der Kunden zu bringen und ihre Informationen durch die Organisation zu verwalten, was die Kundenzufriedenheit der Banken verbessern und die Kundenloyalität erhöhen wird, und einzigartige Kommunikationskanäle mit ihnen zu nutzen.

Farmania, Elsyah und Tuori (2021) untersuchten die Auswirkung einer Marke auf die Bildung des mentalen Bildes oder Fotos der Kunden des Bankensektors in Jordanien. Die Studie ermittelte die Auswirkungen der Marke, die durch (Stil, Design, Produktion und Slogan) repräsentiert wird, auf die Informationen des mentalen Bildes oder der Fotos, die durch (Präferenz, Zuverlässigkeit, Ruf und Qualität, Differenzierung von Konkurrenten) bei den Kunden der Banken in Nigeria repräsentiert werden. In Anbetracht der Ergebnisse empfahlen die Forscher, dass das Management der Banken starke Werbekampagnen starten muss, durch die sich die Kunden an ihre Markenzeichen erinnern, und dass die Banken hochwertige Dienstleistungen anbieten und ihre Produkte, die ihre Markenzeichen tragen, von den konkurrierenden Dienstleistungen auf dem Markt abgrenzen sollten.

Laut Freeman (2012) kann das Wissen um die Rolle des Designs und der Produktion des Slogans beim Kunden eine Emotion oder eine bestimmte Verbindung zur TV-Werbung erzeugen und ein mentales Bild entstehen lassen. In der Studie wurden Design, Produktion und Slogan von zwei Unternehmen, nämlich Apple und IBM, verglichen. Die Studie kam zu dem Schluss, dass ein gutes Design und eine gute Produktion des Slogans die Probanden emotional positiv beeinflussen; die Studie betonte auch, dass dies zu einer Erhöhung der Korrelation der Probanden mit der Marke führt und ihre Loyalität zu ihr erhöht.

Das Kundenbeziehungsmanagement wird als umfassende Strategie bezeichnet, die darauf abzielt, eine Gruppe von Kunden zu gewinnen und zu binden, um einen Mehrwert für das Unternehmen zu erzielen (Ghalenooie, & Sarvestani, 2016). Es ist auch eine Gruppe von Instrumenten, Techniken und Prozessen, die zur Gewinnung und Entwicklung einer Beziehung zu profitablen Kunden eingesetzt werden (Hajikhani, Tabibi & Riahi, 2016). Das Kundenbeziehungsmanagement stellt einen umfassenden Überblick über die Integration der internen Führung, der Kultur, der Organisationsstruktur, der Geschäftsprozesse und eines Informationssystems sowie der Treffpunkte mit den externen Kunden dar (Grewal & Roggeveen, 2020). Nach Payne & Frow (2006) wird CRM als ein Computersystem betrachtet, das von der Organisation zur Speicherung von Kundeninformationen verwendet wird, um den Kunden zahlreiche Produkte entsprechend ihren Anforderungen zu präsentieren.

Hamakhan (2020) wies darauf hin, dass die Übernahme des Managements von Kundenbeziehungen und der Aufbau langfristiger Beziehungen zu ihnen folgende Vorteile für das Unternehmen mit sich bringen kann:

1- Erhöhung der Chance, Kunden zu halten und ihre Zufriedenheit als logische Folge einer schnellen Reaktion zu erreichen.

2- Differenzieren Sie die Kunden und konzentrieren Sie sich auf diejenigen, die nach der 20%-80%-Regel Gewinne erzielen können.

3- Reduzieren Sie die Marketingkosten auf ein Minimum.

4- Entwicklung und Aufbau einer Vertriebsbasis für den Direktvertrieb, in der die Organisation den Verkauf erreichen kann.

5- Erzielung der höchsten Kapitalrendite (ROI) durch Steigerung des Verkaufsvolumens und der Gewinne.

6- Die Organisation soll die Kosten für Güter und Dienstleistungen auf ein Minimum reduzieren, indem sie die möglichen Risiken in ihren Beziehungen zu den Kunden begrenzt.

7- CRM stellt ein wesentliches Management für die Zukunftsplanung hinsichtlich der Verkaufsprognose und der verschiedenen Marketingdienstleistungen dar.

2.2.1 Management von Kundenbeziehungen Ziele

Untersuchungen von Hammoud, Bizri und El Baba (2018) haben ergeben, dass das Ziel von CRM darin besteht, die folgenden Ziele zu erreichen:

1. **Kundenzufriedenheit:** Die Kundenzufriedenheit gilt als das wichtigste Mittel des Kundenbeziehungsmanagements. Der Hauptzweck neuer Organisationen besteht darin, ihre Kunden zufrieden zu stellen, denn nur so lassen sich auch andere Ziele der Organisation erreichen, z. B. die Steigerung des Umsatzes und die Erzielung von

Gewinnen. Sie ist der Beweis für die Befriedigung der Bedürfnisse und Wünsche der Kunden und für den Erfolg der Organisation bei der Gewinnung von Kundentreue. Dies ist der erste Schritt auf dem Weg zu einer engen Beziehung zu den Kunden, die als Partner oder als Teil der Organisation betrachtet werden. Die Kundenzufriedenheit ist auch ein wesentlicher Maßstab für die Leistung der Organisation und ihrer Abteilungen. Die Kundenzufriedenheit ist kein festes Konzept, und viele interne und externe Faktoren können auf der Grundlage der Kundenzufriedenheit schnell geändert werden. Zu diesen Faktoren gehören die Werbung, das Image des Produkts, das Image des Unternehmens, die Qualität, der Preis, der Vertrieb und die Wettbewerber.

2. **Die Loyalität der Kunden:** Durch das Management der Kundenbeziehungen zielen die Unternehmen in erster Linie auf die Zufriedenheit ihrer Kunden ab, und erst danach kommt die Zufriedenheit. Die Kundentreue ist zu einem wichtigen Thema in kleinen und großen Unternehmen geworden, da sie für die Steigerung der Gewinne und das Überleben des Unternehmens von großer Bedeutung ist, vor allem, wenn eine Vielzahl von Kundenbedürfnissen und -wünschen vorhanden ist. In einer Situation, in der die Kunden bewusster und bewusster sind, da die Anforderungen und Bedürfnisse der Kunden gestiegen sind, müssen sich die Unternehmen bemühen, absolute Loyalität zu schaffen und das Loyalitätsniveau der Kunden zu realisieren, um eine optimale Loyalität zu erreichen. Dies bedeutet eine vollständige Loyalität, bei der die Kunden nicht zu einem anderen Unternehmen wechseln können (Feyen, Frost, Gambacorta, & Natarajan, 2021). Loyalität bedeutet, dass Kunden sich häufig für Käufe aus einer bestimmten Produktklasse entscheiden, nachdem sie ein bestimmtes Etikett erhalten haben (Diffley & McCole, .2015). Loyale Kunden sind das Kapital des Unternehmens, weil das Unternehmen durch sie große Umsätze erzielt.

3. **Kundenwert:** Nach Kotler und Keller (2012) ist der Wert des Kunden in der Regel der erwartete Wert, den der Kunde aus dem Produkt oder der beabsichtigten Dienstleistung zieht. Alternativ ist er der Betrag, den der Kunde als Ergebnis des Austauschs des Produkts gegen den gezahlten Preis erhält, und er ist gleich dem Nutzen abzüglich der Kosten für die Entscheidungsfindung (Kocoglu, 2012). In demselben Zusammenhang bedeutet Wert den Austauschprozess, den die Kunden zwischen dem, was sie von dem Produkt erhalten, und seinen Kosten durchgeführt haben.

Kotler und Armstrong (2008) argumentierten, dass sich das Marketing im zwanzigsten Jahrhundert über viele Stufen hinweg entwickelt hat. Es konzentrierte sich in den 1950er Jahren auf das Verbrauchermarketing, in den 1960er Jahren auf das Industriemarketing, in den 1970er Jahren auf das Marketing in Non-Profit-Organisationen, in den 1980er Jahren auf das Dienstleistungsmarketing und in den 1990er Jahren auf die Marketingbeziehungen. Die Untersuchung der Zukunft des Marketings begann zu Beginn des einundzwanzigsten Jahrhunderts (Khasawneh, & bu-Shanab, 2012). Marketing durch Beziehungen war das Anliegen einiger Forscher aufgrund der folgenden Faktoren (Khan, Salamzadeh, Iqbal, & Yang, 2020):

1. Das Marketing betrifft viele Bereiche, darunter die Märkte der Kunden und der Arbeitnehmer, die Importmärkte, die Binnenmärkte und die Märkte, die die Märkte beeinflussen, wie die Finanz- und Regierungsmärkte.
2. Die Art der Kundenbeziehung ist nicht konstant; daher ändert sich der Schwerpunkt von der Transaktion zur Beziehung (Khodakarami & Chan, 2014).

Der Prozess der Kundenentwicklung kann in mehreren Schritten erfolgen. Es geht darum, potenzielle Kunden über verschiedene Stufen zu Verteidigern der Organisation zu machen, die Kunden in echte Erstkunden umwandeln wollen und sie dann zu Kunden machen, die wiederholt kaufen. Der letzte Schritt ist die Umwandlung von Verteidigern in Partner, mit denen Kunden und Unternehmen aktiv zusammenarbeiten. Manche Kunden wenden sich aus Gründen wie Unzufriedenheit an andere Organisationen. In diesem Fall muss das Unternehmen die Verdienststrategien dieser Kunden zurückerstatten, da die Rückgewinnung von Kunden einfacher ist als die Gewinnung von Neukunden. Heutige Unternehmen stehen vor großen Herausforderungen, angefangen bei der Schwierigkeit, immer an der Spitze zu bleiben, über die Verbreitung der Informationstechnologie und das Aufkommen der ISO (internationale Normungsorganisation) bis hin zu globalen Handelsabkommen und dem ständigen Wandel zwischen den Bedürfnissen und Wünschen der Kunden. Daher müssen Unternehmen kontinuierlich Wettbewerbsvorteile finden, um am besten in der Lage zu sein, Einnahmen und Gewinne zu erzielen, indem sie Kunden anziehen und ihre mentale Statur durch die Herstellung und Lieferung von Produkten mit hervorragendem Nutzen konfigurieren.

Es gibt keine bestimmte Definition von CRM, und so haben verschiedene Wissenschaftler diesen Begriff auf der Grundlage ihrer persönlichen Ansichten über die Wahrnehmung des Konzepts definiert. Die Zwecke von CRM sind die folgenden (Jocovic, Melovic, Vatin & Murgul, 2014; Jobber, 2004; Winer, 2001):

- CRM kann als "direkte E-Mails" bezeichnet werden
- Ein System, das die analytische Online-Verarbeitung von Kundendaten und die Verwaltung von Kundeninteraktionszentren (CIC) unterstützt
- Es handelt sich um die Anpassung von Produkten und Dienstleistungen, die speziell auf die Bedürfnisse und Anforderungen der Kunden zugeschnitten sind.

Manager von Unternehmen haben die Aufgabe, ihre individuellen Kunden zu verstehen, um wertvolle Informationen für die Entwicklung von Produkten zu sammeln, die eine für beide Seiten vorteilhafte Beziehung zwischen dem Kunden und dem Unternehmen fördern. Winer (2001) schlägt vor, dass diese Informationen vom Kunden genutzt werden können, um einen vollständigen CRM-Rahmen mit sieben Schritten zu entwickeln. Diese sind (Winer, 2001):

- Die Erstellung einer Datenbank für die Aktivitäten der Kunden
- Die praktische Analyse der Datenbank
- Auf der Grundlage der Analyse wird die Entscheidung getroffen, welcher Kunde angesprochen werden soll
- Werkzeuge und Techniken für die Kundenansprache
- Wege zum Aufbau und zur Pflege von Beziehungen zu den anvisierten Kunden
- Die Frage der Privatsphäre
- Instrumente zur Messung des Erfolgs des CRM-Programms

2.2.2 Erstellen einer Datenbank

Bei der Einführung einer CRM-Lösung in einem Unternehmen muss zunächst eine Kundendatenbank aufgebaut werden (Jobber, 2004). Dies ist die grundlegende Plattform, auf der jede Lösung für das Kundenbeziehungsmanagement aufbaut. Für Unternehmen, deren Geschäfte webbasiert sind, wäre die Entwicklung einer Datenbank recht einfach, da die Transaktionsdaten der Kunden durch den Interaktionsprozess mit den Kunden gesammelt werden (Winer, 2001). Für Organisationen, die nicht viele Informationen über ihre Kunden gesammelt haben, würde der Aufbau der Datenbank jedoch die Sammlung von Daten aus internen Quellen erfordern

Eine ideale Datenbank sollte Folgendes enthalten (Winer, 2001):

- Kundenkontakte wie Adressen, Telefonnummern und Anrufprotokolle, die mit diesen Kunden geführt wurden.
- Die Transaktionsdaten der Kunden sollten in die Datenbank aufgenommen werden.
- Die Datenbank sollte umfassende beschreibende Informationen über das Zielkundensegment enthalten.
- Das Ergebnis der an die Kunden gerichteten Direktmarketingbemühungen sollte erfasst werden. Das heißt, dass die Reaktion des Kunden auf die von einer Organisation unternommenen Direktmarketingmaßnahmen in die Datenbank aufgenommen werden sollte.

Es ist erwähnenswert, dass diese Daten im Laufe der Zeit aufgefüllt und dargestellt werden sollten, um die Kunden klar zu verstehen.

In der Vergangenheit wurden Kundendatenbanken analysiert, um ein bestimmtes Kundensegment zu definieren (WMG, 2009). Verschiedene Methoden wie die Clusteranalyse werden eingesetzt, um Kunden mit ähnlichen Verhaltensmerkmalen zu erfassen und so die Entwicklung von Produkten und Dienstleistungen zu ermöglichen, die den Bedürfnissen der Kunden entsprechen. Direktvermarkter nutzen diese Methoden schon seit vielen Jahren.

Allerdings wurde die Segmentierungstechnik in jüngster Zeit hinterfragt und kritisiert. Die Zusammenstellung einer großen Anzahl unterschiedlicher Kunden zur Bildung einer segmentierten Gruppe deutet darauf hin, dass die Marketingbemühungen auf einen Stammkunden innerhalb der segmentierten Gruppe ausgerichtet sind (WMG, 2009). Es ist wichtig festzustellen, dass derzeit verschiedene Marketinginstrumente zur Verfügung stehen, die darauf ausgerichtet sind, jeweils einen Kunden zu erreichen. Dies geschieht mit spezifisch zugeschnittenen Botschaften, die für relativ kleine segmentierte Kundengruppen entwickelt wurden (WMG, 2009). Dies wird auch als One-to-One-Marketing bezeichnet. Der Schwerpunkt liegt dabei auf dem Verständnis der einzelnen Kunden und ihrem Beitrag zu den Einnahmequellen des Unternehmens. Es ist von entscheidender Bedeutung, dass dies ausschließlich von der Art des Produkts und der erbrachten Dienstleistung abhängt und auch von der Fähigkeit, Kunden in relativ kleinen Gruppen oder individuell anzusprechen.

Winer (2001) schlägt vor, dass ein "Lifetime Customer Value" (LCV) als eine Form der Kundenanalyse verwendet werden kann. Das Konzept des LCV besteht darin, dass jeder Kunde in der Datenbank auf der Grundlage seiner gegenwärtigen und künftigen Rentabilitätsaussichten für das Unternehmen analysiert werden sollte. Auf dieser Grundlage kann jedem analysierten Kunden eine Rentabilitätszahl zugewiesen werden, so dass die Marketingfachleute entscheiden können, welche Kunden sie ansprechen wollen. Es ist wichtig zu wissen, dass der Gewinn, den ein Kunde in der Vergangenheit für ein Unternehmen erwirtschaftet hat, die Summe der im Laufe der Zeit gekauften Produkte abzüglich der Kosten ist, die für die Erreichung des Kunden aufgewendet wurden. Dabei handelt es sich um Kosten im Zusammenhang mit Verkaufsanrufen, direkten E-Mails usw. Das LCV kann verwendet werden, um Bereiche hervorzuheben, in denen erhebliche Gewinne mit einem Kunden erzielt werden können. Diese können sich aus (Vejacka & Stofa, 2017) ergeben:

- Durch Cross-Selling wird die Anzahl der gekauften Produkte erhöht.
- Durch die Erhebung höherer Preise werden die Einnahmen gesteigert.
- Senkung der Kosten für die Gewinnung eines Kunden
- Durch Senkung der Grenzkosten des Produkts.

2.2.3 Kundenauswahl

In dieser Phase erfolgt die Auswahl der Kunden auf der Grundlage der in der Datenbank gespeicherten Informationen. Die Analyseergebnisse des vorangegangenen Schritts können unterschiedlicher Art sein. Wenn beispielsweise eine Analyse zur Segmentierung von Kunden auf der Grundlage von Merkmalen des Kaufverhaltens durchgeführt wird, werden Kunden, die in die gewünschten Segmente fallen, wie z. B. die Spitzenkaufrate, in der Regel für nachfolgende Kundenbindungsprogramme ausgewählt (Zhang, Hu, Guo, & Liu, 2017). Es ist wichtig zu beachten, dass andere Segmente für Kundenbindungsprogramme auf der Grundlage anderer Faktoren ausgewählt werden würden.

Winer (2001) schlägt vor, dass es eine gerechtfertigte Grundlage für die Kundenauswahl geben sollte. Diese sind (Winer, 2001; Zhang, Hu, Guo, & Liu, 2017):

- Die aktuelle Rentabilität sollte auf der LCV-Gleichung basieren. Das Problem bei dieser Methode ist, dass potenzielle Kunden, die dem Unternehmen

Gewinne garantieren können, wegfallen können, weil das mögliche Wachstum dieser Kunden nicht berücksichtigt wurde.

- Kunden mit einem hohen LCV-Wert sollten ausgewählt werden, da dies bei potenziellen Käufen hilfreich ist. Es ist sehr wichtig zu betonen, dass diese Kunden nicht vorhersehbar sind und eine ziemlich große Anzahl von Kunden, die als "nicht profitabel" angesehen werden, in der ausgewählten Liste enthalten sein könnten.

2.2.4 Kundenausrichtung

Der Einsatz von Fernsehwerbung und Printmedien sind Massenmarketingansätze, die dazu dienen, Produkte und Dienstleistungen bekannt zu machen und Kommunikationsziele zu erreichen (Vutete, Tumeleng & Wadzanayi, 2015). Diese Marketingansätze sind jedoch aufgrund ihres Massenmarketingcharakters nicht auf die CRM-Ziele abgestimmt. Marketingansätze werden hauptsächlich für die gezielte Ansprache ausgewählter Kunden verwendet, wie z. B. Telemarketing und der Versand direkter E-Mails. Experten wie Jobber (2004) schlagen vor, dass Unternehmen Telemarketing als zielgerichteten Ansatz nutzen sollten, anstatt den Ansatz der Massenmedien zu verwenden. Jobber (2004) wies ferner darauf hin, dass das One-to-One-Marketing mit Hilfe der Internettechnologie zu einem positiven Aufbau der Kundenbeziehung beitragen kann.

Laut Zhu, Liu, Song und Wu (2021) ist die Direktwerbung per E-Mail eine kostengünstige Methode zur Kundenbindung. Diese Experten erklärten weiter, dass ein Unternehmen seine Marketingkosten durch den Einsatz des Direktmarketingansatzes senken kann, was zur Kundenbindung beitragen kann.

2.2.5 Beziehungsmarketing

Die Beziehung zwischen den Kunden und den Unternehmen wird nicht durch direkte E-Mails aufgebaut, sondern durch Entwicklungsprogramme, die leicht verfügbar sind und bei denen direkte E-Mails ein Lieferkanal sein können, der zur Schaffung von Bewusstsein verwendet wird (Kotler & Armstrong, 2008). Das primäre Ziel von Beziehungsprogrammen ist es, eine hervorragende Kundenzufriedenheit im Vergleich zu anderen Wettbewerbern zu gewährleisten.

Die Kunden haben aufgrund ihrer veränderten Bedürfnisse, des Marktwettbewerbs und der Marketingansätze ein hohes Maß an Erwartungen. Daher müssen sich die Manager von Organisationen darüber im Klaren sein, dass die Kunden ihre Vorstellungen ständig mit den grundlegenden Erwartungen an die Produktleistung der Organisation abgleichen. Da es eine sehr positive Korrelation zwischen den Gewinnen eines Unternehmens und der Zufriedenheit der Kunden mit einer Dienstleistung oder einem Produkt gibt, müssen Manager die Kundenzufriedenheit regelmäßig messen (Usman, Jalal & Musa, 2012). Dies soll dazu beitragen, dass ein Unternehmen kontinuierlich hohe Leistungen erbringt, um die Erwartungen der Kunden zu übertreffen. Die nachstehende Abbildung 2.1 zeigt eine Reihe verwandter Programme, zu denen Kundenservice, Belohnungen, Treueprogramme und Kundenanpassung gehören.

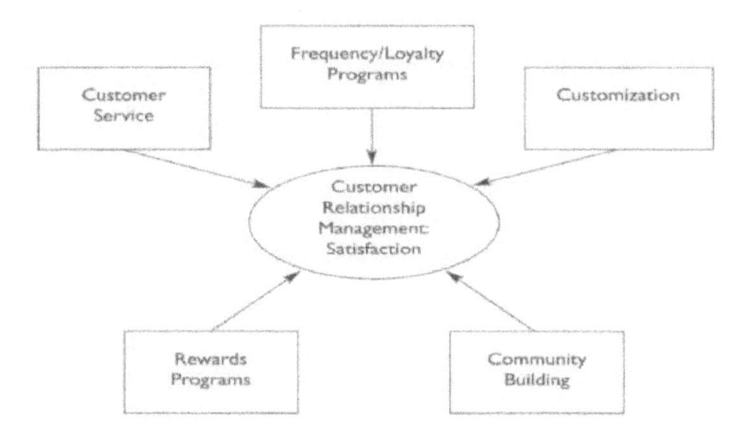

Abbildung 2.1 Kundenbindungsprogramme **Quelle** (Winer, 2001)

Die in Abbildung 2 dargestellten Elemente dieser Beziehungsprogramme werden im Folgenden erläutert (Usman, Jalal & Musa, 2012; Winer, 2001; Vutete, Tumeleng & Wadzanayi, 2015):

- **Kundendienst** - Unternehmen müssen den Kundendienst sehr ernst nehmen, da die Kunden heute mehrere Möglichkeiten haben, sich zu entscheiden. Daher ist es logisch zu sagen, dass jede Form der Begegnung eines Kunden mit einem Unternehmen technisch gesehen eine Kundenservice-Begegnung ist. Diese Begegnung kann eine wiederholte Geschäftsaktivität des Kunden sicherstellen und somit den Einsatz von CRM effektiv machen. Allerdings kann diese Begegnung auch eine negative Wendung nehmen.

- **Treueprogramme** - Dieses Programm belohnt Kunden für wiederholte Geschäftsabschlüsse. Wenn dies geschieht, fördert es den Kundenbindungsprozess eines Unternehmens.
- **Personalisierung** - Dieser Schritt geht weit über den Ansatz des One-to-One-Direktmarketings hinaus. Er zielt jedoch darauf ab, Produkte und Dienstleistungen für den einzelnen Kunden zu entwickeln, anstatt nur mit ihm zu kommunizieren.
- **Gemeinschaften** - Dies wird durch die Präsenz des Internets gefördert, wo ein Netzwerk von Kunden aufgebaut und zum Austausch relevanter Produktinformationen ermutigt wird, wodurch Beziehungen zwischen dem Unternehmen und den Kunden entstehen. Der Schwerpunkt liegt darauf, eine starke Bindung zwischen dem Kunden und dem Unternehmen zu schaffen, indem ein Produkt entwickelt wird, das den Kunden persönlich anspricht, so dass es für den Kunden schwierig ist, die gebaute Umgebung zu verlassen.

2.2.6 Fragen des Datenschutzes

Um Kunden gezielt anzusprechen und Beziehungen effektiv aufzubauen, müssen relevante, genaue und analysierte Informationen in der Datenbank des CRM-Systems gespeichert werden (Vimala, 2016). Daher besteht ein offensichtlicher Kompromiss zwischen den Fähigkeiten der Unternehmen, die Lieferung von maßgeschneiderten Produkten voranzutreiben, und der Menge an Informationen, die zur Unterstützung und Erleichterung dieser Lieferung benötigt werden. Da die Datenbanken von Unternehmen Informationen über ihre Kunden enthalten, besteht ein großes Interesse daran, welche Art von Informationen gespeichert werden und wofür diese Informationen verwendet werden sollen. Winer (2001) weist darauf hin, dass einige Bedenken hinsichtlich des Schutzes der Privatsphäre im Zusammenhang mit der Speicherung und Verwendung von Kundeninformationen erwähnenswert sind. Diese Bedenken sind (Winer, 2001):

- Es gibt Gefühle von grundlegenden Verletzungen. Daraus ergibt sich die Frage: "Woher weiß die Firma von mir?
- Die größte Verärgerung entsteht, wenn unerwünschte Direkt-E-Mails eintreffen.

- Die Befürchtung, einen Schaden zu erleiden, könnte insbesondere dann auftreten, wenn der Verbraucher ein Reiseticket bucht und solche Informationen nicht preisgeben will.

2.2.7 Metriken

Im Laufe der Jahre lag der Schwerpunkt stets auf dem Konzept und der Anwendung von CRM. Daher müssen die traditionellen Kennzahlen, mit denen Unternehmen die Leistung bestimmter Produkte und Dienstleistungen messen, umstrukturiert und aktualisiert werden (Wang, 2008). So wichtig finanzielle Indikatoren wie Marktanteile und Gewinnspannen in der Geschäftswelt sind, so notwendig sind klare Indikatoren zur Leistungsmessung im CRM-Umfeld. Jobber (2004) schlägt vor, Maßnahmen zu entwickeln, die sich auf die Kunden konzentrieren, um den Unternehmen ein besseres Bild davon zu vermitteln, wie die Umsetzung von CRM abläuft. Diese Maßnahmen, die in der CRM-Welt verwendet werden, sind (Tseng & Huang, 2012):

- Kundenbindungsrate
- Kosten der Kundengewinnung
- Die Quote der Umwandlung eines potenziellen Kunden in einen Käufer.
- Kundenbindungsrate

Die oben genannten Maßnahmen sollen einer Organisation helfen, sich auf ihre Leistung im Dienste ihrer Kunden zu konzentrieren.

2.3 Entscheidende Faktoren, die das CRM beeinflussen (Menschen, Prozesse und Technologie)

Wie bereits erwähnt, gehören zu den kritischen Erfolgsfaktoren, die die Umsetzung eines effektiven Kundenbeziehungsmanagements (CRM) beeinflussen, Menschen, Prozesse und Technologie. Diese werden im Folgenden erläutert (WMG, 2009; Tjiptono & Gregorius, 2011; Jobber, 2004):

- **Menschen** - Das Management der Mitarbeiter innerhalb einer Organisation während der CRM-Einführung kann eine Herausforderung darstellen. Das liegt daran, dass es schwierig sein kann, alle Mitarbeiter zur Teilnahme und zum Verständnis des CRM-Prozesses zu bewegen. Daher sollten alle Führungsebenen des Unternehmens einbezogen werden, um eine wirksame Umsetzung von CRM zu gewährleisten. Um die Unternehmensziele zu erreichen, muss ein organisatorischer Wandel stattfinden, bei dem alle Mitarbeiter die

Investitionsrendite (ROI) verstehen, die mit der Nutzung des CRM-Systems verbunden ist. Die Mitarbeiter sollten auch wissen, dass das CRM-System ihnen helfen würde, ihre täglichen Aufgaben und Ziele zu erreichen und die Kunden hervorragend zu bedienen.

- **Prozess** - Die Geschäftsprozesse eines Unternehmens müssen für die Mitarbeiter klar und einfach zu verstehen und zu befolgen sein. Die Einführung von CRM hilft, Aufgaben und Geschäftsprozesse zu automatisieren und dadurch die Durchlaufzeit bei der Ausführung grundlegender Tätigkeiten zu verkürzen, die direkt mit der Kundenzufriedenheit verbunden sind. Das Verständnis der Prozesse kann den Mitarbeitern helfen, ihre Fähigkeiten mit der im Unternehmen verfügbaren Technologie in Einklang zu bringen, um einen Mehrwert zu schaffen, der dem Unternehmen und den Kunden zugute kommt.
- **Technologie** - Es ist von entscheidender Bedeutung, ein stabiles und geeignetes technologisches Umfeld zu schaffen, das die Einführung eines CRM-Systems in einer Organisation unterstützt. Die in einer Organisation zur Verfügung gestellte Technologie sollte den CRM-Zielen des Unternehmens entsprechen und diese erfüllen. Jobber (2004) stellte fest, dass die Technologie nur ein Teil der drei Erfolgsfaktoren ist, die die erfolgreiche Einführung von CRM in einem Unternehmen beeinflussen. Daher sollte die Technologie allein nicht die ganze Aufmerksamkeit auf sich ziehen, sondern der Schwerpunkt sollte auf Menschen und Prozesse gelegt werden, um die Unternehmensziele zu erreichen.

2.4 Kundenanalyse

Die Kundenanalyse ist der erste logische Schritt in der strategischen Marktplanung; Kotler (2010) hat das moderne strategische Marketing als Segmentierung, Targeting und Positionierung (STP) beschrieben. Da kein Vermarkter den gesamten Markt oder die gesamte Branche zufriedenstellend bedienen kann, muss der Markt segmentiert werden. Bei der Segmentierung wird davon ausgegangen, dass der Markt heterogen ist und aus verschiedenen Verbrauchern mit unterschiedlichen Bedürfnissen und Wünschen besteht.

Die Reaktion des Marketings auf die Bedürfnisse des Marktes hat nach Kotler und Keller (2012) im Laufe der Zeit drei Phasen durchlaufen:

Massenmarketing: Hier engagiert sich der Verkäufer in der Massenproduktion, dem Massenvertrieb und der Massenproduktion eines Produkts für alle Käufer. Die Annahme war, dass dies zu den niedrigsten Kosten und Preisen führen und den größten potenziellen Markt schaffen würde (http://marketing-bulletin.massey.ac.nz/V5/MB_V5_A2_Wright.pdf. Abgerufen am 25/04/2022).

Vermarktung der Produktvielfalt: Hier produziert der Hersteller verschiedene Sorten mit unterschiedlichen Merkmalen, Stilen, Qualitäten, Größen usw. von mehreren Produkten, die sich an die Käufer richten, anstatt andere Marktgruppen anzusprechen. Das Argument ist, dass Vielfalt die Würze des Lebens ist, da sich die Geschmäcker im Laufe der Zeit ändern. Folglich werden die Kunden nach Veränderungen und Abwechslung suchen.

Zielgerichtetes Marketing: Hier identifiziert der Verkäufer die wichtigsten Marktsegmente, wählt die attraktivsten Sektoren aus und schneidet die Programme auf jedes ausgewählte Element zu. Mikromarketing und maßgeschneidertes Marketing sind die ultimativen Formen des Target Marketing. Dienstleistungen und Produkte richten sich an Kundengruppen, die auf die Bedürfnisse und "Wünsche" eines bestimmten Verbrauchers oder einer Käuferorganisation zugeschnitten sind. Zielgruppenmarketing hilft Unternehmen, Marketingchancen besser zu erkennen. Die Unternehmen können nun das richtige Angebot an Produkten, Preisen, Werbeaktionen und Vertriebskanälen für jede Zielgruppe entwickeln. Aus diesem Grund setzen viele Unternehmen heute zunehmend auf Target Marketing.
Die Kundenanalyse muss sich daher mit folgenden Fragen befassen:

- Wer sind die größten Kunden?
- Was motiviert das Kundenverhalten?
- Gibt es ungedeckte Bedürfnisse?

Diese strategischen Fragen werden sicherlich zu weiteren strategischen Unterfragen führen, bevor eine strategische Entscheidung getroffen werden kann. Der Zielmarktansatz hilft Organisationen, ihre Bemühungen auf ihre Käufer zu konzentrieren, anstatt sie über den gesamten Markt zu verstreuen. Zielgruppenmarketing erfordert drei wesentliche Schritte: Segmentierung, Ausrichtung und Positionierung.

Marktsegmentierung

Bei der Marktsegmentierung werden verschiedene Käufergruppen identifiziert und profiliert, die möglicherweise unterschiedliche Produkte und Marketing-Mixe benötigen (Kotler 2010). Kocoglu (2012) definiert Marketingsegmentierung als Aufteilung eines Marktes in kleinere Einheiten oder Zielmärkte und die Ermittlung von Personen, die zu jedem Zielmarkt gehören. Die Annahme ist, so Kocoglu weiter, dass Menschen, die homogen sind oder gemeinsame Merkmale haben, gruppiert werden. Die Idee eines homogenen Marktes gibt es nicht. Vielmehr besteht unser Land aus vielen kleinen Märkten, wobei jeder kleine Markt ein Marktsegment darstellt. Das Konzept der Produktidentifikation erkennt die Existenz von Komponenten an und versucht, jede kleine Gruppe zufriedenzustellen (Kombo, 2015).

Allgemeiner Ansatz zur Segmentierung

Die Märkte unterscheiden sich in ihren Bedürfnissen, ihrer Kaufkraft, ihrem Geschmack, ihren Motiven, ihren unbefriedigten Bedürfnissen, ihren Kaufgewohnheiten und ihrer Verwendung. Die Faktoren können auf dem Markt wie folgt in kleine Einheiten unterteilt werden:

Schritte der Marktsegmentierung

Schritt 1. Identifizieren Sie die Segmentierungsvariablen und segmentieren Sie den Markt.

Schritt 2. Entwickeln Sie das Profil jeder Einheit.

Schritt 3. Bewerten Sie die Attraktivität der einzelnen Segmente.

Schritt 4. Wählen Sie das/die Zielsegment(e).

Schritt 5 Wählen Sie die geeigneten Positionierungskonzepte aus.

Schritt 6 Auswahl, Entwicklung und Vermittlung des gewählten Positionierungskonzepts an andere.

In einem strategischen Kontext erfordert die Entwicklung einer erfolgreichen Segmentierungsstrategie die Konzipierung, Entwicklung und Bewertung eines wettbewerbsfähigen Angebots. Die Kundenanalyse muss die folgenden Informationen liefern, um eine angemessene Segmentierungsstrategie zu entwickeln.

Segmentierung

- Wer sind die größten Kunden?

- Die profitabelste? Die attraktivste?
- Potenzielle Kunden. Gibt es logische Gruppen auf der Grundlage von Bedürfnissen, Wünschen, Motivationen oder Eigenschaften?
- Wie könnte der Markt unter Berücksichtigung der folgenden Variablen strategisch segmentiert werden? Diese Variablen sind: angestrebter Nutzen, Nutzungsgrad, Anwendung, Art und Größe des Unternehmens, geografischer Standort, Kundentreue und schließlich die Preissensibilität.

Kunden-Motivationen

- Welche Elemente des Produkts/der Dienstleistung schätzen die Kunden am meisten?
- Warum kaufen sie?
- Was kaufen sie?
- Wie unterscheiden sich die Segmente in Bezug auf ihre Motivationsprioritäten?
- Gibt es Veränderungen in der Motivation der Kunden?

Unerfüllte Bedürfnisse

- Warum sind manche Kunden unzufrieden?
- Warum wechseln einige andere die Marke, den Lieferanten oder die Verkaufsstelle?
- Wie schwerwiegend sind die Probleme der Verbraucher und wie häufig treten sie auf?
- Sind unbefriedigte Bedürfnisse bei Verbrauchern und Unternehmen erkennbar?
- Gibt es ungedeckte Bedürfnisse, die den Verbrauchern nicht bekannt sind?
- Wie groß ist der Einfluss, den diese unerfüllten Bedürfnisse auf die Wettbewerber haben?

Die richtigen Antworten auf diese strategischen Fragen ermöglichen eine angemessene Konzeption, Entwicklung und Bewertung eines wettbewerbsfähigen Angebots, sei es für ein Segment oder eine Nische.

Grundlagen für die Marktsegmentierung

Die Segmentierung eines bestimmten Marktes ist schwierig, da es viele Möglichkeiten gibt, den Markt zu unterteilen. Im Allgemeinen können diese Variablen auf der Grundlage der Verbrauchereigenschaften und der Reaktion oder des Verhaltens der Verbraucher gegenüber den Produkteigenschaften in zwei Gruppen eingeteilt werden. Bei der Segmentierung auf der Grundlage von Verbrauchereigenschaften werden in der Regel geografische, demografische und psychografische Merkmale verwendet. Anhand dieser Merkmale wird davon ausgegangen, dass unterschiedliche Bedürfnisse oder Produktreaktionen bestehen. Um zu vermeiden, dass nützliche Möglichkeiten zur Definition von Segmenten übersehen werden, wird eine breite Palette von Variablen empfohlen. Die Variablen können auf der Grundlage ihrer Fähigkeit bewertet werden, Segmente zu identifizieren, für die verschiedene Strategien verfolgt werden könnten http://writepass.com/journal/2012/12/segmentation-targeting-and-positioning-in-marketing-strategies/. Abgerufen am 25/04/2022).
Die Märkte können daher anhand allgemeiner Merkmale segmentiert werden, die nichts mit dem jeweiligen Produkt zu tun haben: Auch produktbezogene Variablen wie die Nutzung usw. haben sich als nützlich für die Marktsegmentierung erwiesen. Die Segmentierung im Marktwettbewerb sollte zu einer klar definierten Strategie und einer starken Positionierung führen. Jedes Kundensegment sollte im Detail profiliert werden (Khrais, 2017). Weitere Segmentdeskriptoren wie Demografie, Psychografie, Mediengrafik, Einstellungen und Verhalten werden benötigt.

Mehrere Segmente versus Einzelsegmentansatz

Einem Vermarkter stehen zwei Möglichkeiten der Segmentierung zur Verfügung. Die eine ist der Single-Segment-Ansatz, bei dem sich das Unternehmen auf ein einziges Segment konzentriert, das viel kleiner ist als der gesamte Markt. Die Zenith Bank Nigeria eröffnet keine Firmenkonten mit einem Guthaben von weniger als 100.000 Naira, und das Guthaben auf einem Privatkonto bei der UBA sollte auf keinen Fall weniger als 1.000 Naira betragen. Einige Banken nehmen keine Einzelkonten an. Daher bieten sie auf Geschäftskonten zugeschnittene Serviceleistungen an, die umfassender und engagierter sind als die ihrer Konkurrenten.
Eine weitere Alternative zum Ein-Segment-Ansatz ist der Multi-Fokus-Ansatz, bei dem das Unternehmen verschiedene Segmente einbezieht. Insbesondere dann, wenn

das Unternehmen mehrere Produktlinien hat, kann jede genau für ein bestimmtes Stück positioniert werden, wobei unterschiedliche Vorteile angestrebt werden.
Trotz der hohen Kosten, die mit der Entwicklung mehrerer Segmente verbunden sind, bewegen sich viele Unternehmen in diese Richtung, da die Gesamtwirkung und die möglichen Synergien zwischen den einzelnen Segmenten gesteigert werden können.

2.5 Theoretischer Rahmen

2.5.1 CRM-Rahmen von Winer (2001)

Eines der in dieser Untersuchung verwendeten Rahmenwerke wurde von Winer (2001) entwickelt. Der von diesem Wissenschaftler entwickelte CRM-Rahmen hilft dabei, sich auf die Bindung von Kunden zu konzentrieren und ihre Loyalität sicherzustellen, da dies zu wiederholten Geschäften und damit zu einer Steigerung des Umsatzes führt. Diese Untersuchung konzentriert sich auf die Implementierung eines praktischen CRM-Rahmens in der Zenith Bank, um die Kundenbeziehungen zu verbessern, den Service für die Kunden zu verbessern und die Gewinnung und Bindung von Kunden zu gewährleisten, was zu wiederholten Geschäften führt.

Der Begriff CRM hat die Aufmerksamkeit von Unternehmen in aller Welt auf sich gezogen. Große Organisationen beginnen, Strategien zu entwickeln, die sich auf die Schaffung eines hervorragenden Kundenservice konzentrieren. Diese Organisationen setzen auch Tools und Techniken ein, die ein effektives Kundenbeziehungsmanagement ermöglichen. Um das Verhalten der Kunden vollständig zu verstehen, beginnen die Unternehmen, die Ausrichtung der Kundenbeziehungen als entscheidend für den Unternehmenserfolg zu betrachten (Winer, 2001).
Es ist das Zeitalter, in dem die Technologie die Art und Weise verändert hat, wie Unternehmen mit ihren Kunden umgehen. Diese Entwicklung hat zu einer vollständigen Integration von Geschäftsbereichen wie Vertrieb, Marketing und Kundendienst geführt. Für Praktiker ist CRM daher ein innovativer Ansatz, um das Verhalten eines Kunden gründlich zu verstehen und so Strategien zu entwickeln, die die Beziehung zwischen dem Kunden und dem Unternehmen fördern (King & Burgess, 2008).

2.5.2 Porter (1985) Allgemeine Strategie

Porter (1985) schlug die Verwendung einer generischen Strategie für Organisationen vor, um ihre strategischen Denkfähigkeiten zu verbessern. Zu diesen allgemeinen Strategien gehören die folgenden (Porter, 1985):

- Kostenführerschaft
- Differenzierung
- Schwerpunkt

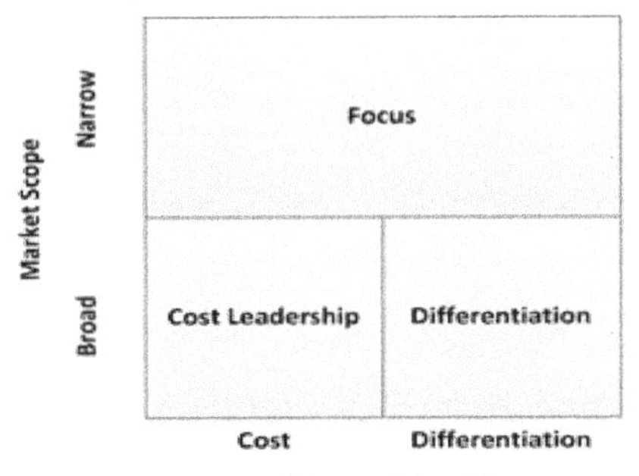

Abbildung 2.2 Porter's Generic Strategies Quelle (Porter, 1985)

Das obige Diagramm zeigt die Strategien, die Porter (1985) entwickelt hat, um Organisationen in die Lage zu versetzen, verschiedene Maßnahmen zu ergreifen, die im Einklang mit ihren allgemeinen Zielen stehen

Kostenführerschaft

Die Strategie der Kostenführerschaft ist eine Strategie, bei der sich ein Unternehmen darauf konzentriert, ein kostengünstiger Produzent von Waren und Dienstleistungen zu werden (Porter, 1985). Ein Unternehmen, das diese Strategie umsetzt, kann hohe Gewinnspannen erzielen, wenn es im Vergleich zu anderen konkurrierenden Unternehmen die niedrigsten Kosten hat, vorausgesetzt, seine Produkte sind technisch nicht differenziert und werden zum gleichen Preis angeboten.

Jedes Unternehmen, das diese Strategie anwendet, legt großen Wert auf die Senkung der Kosten in allen betrieblichen Aktivitäten, die die gesamte Wertschöpfungskette des Unternehmens bilden. Ein Unternehmen kann sich dafür entscheiden, eine führende Rolle bei der Anwendung von Kostenführerschaftsstrategien einzunehmen und sein Produktangebot nicht zu einem angemessen niedrigen Preis zu verkaufen. Ein Beispiel hierfür ist, wenn ein Unternehmen einen Durchschnittspreis für ein Produkt oder eine Dienstleistung erhebt, der mit der Strategie der Kostenführerschaft im Einklang steht, und die Gewinne zu Expansionszwecken in das Unternehmen reinvestiert (Acquaah & Yasai-Ardekani, 2008).

Die Einführung einer Strategie der Kostenführerschaft kann für einige Unternehmen mit Risiken verbunden sein. Eine zu starke Betonung dieser Strategie kann zu den folgenden Ergebnissen führen (Porter, 1985):

- Eine Organisation kann den Fokus auf das Wesentliche verlieren, nämlich die Bereitstellung von Qualitätsprodukten.
- Eine Organisation kann bei der Bereitstellung von Waren und Dienstleistungen weniger innovativ sein.

Differenzierung

Eine Organisation, die in der Lage ist, ihre Produkte von denen der Mitbewerber zu unterscheiden, wird tendenziell höhere Preise für ihre Waren und Dienstleistungen verlangen (Kaplan & Norton, 2000; Jocovic et al., 2014). Beispiele hierfür sind Organisationen, die ihren Kunden überlegene Produkte und Dienstleistungen anbieten und damit sicherstellen, dass sich ihre Produktangebote von denen der Konkurrenten aufgrund der überlegenen Leistung unterscheiden, die sich aus der Nutzung der Produkte ergibt.

Nach Porter (1985) wird ein Unternehmen, das sich für die Umsetzung einer Differenzierungsstrategie entscheidet, während des Umsetzungsprozesses wahrscheinlich mehr Kosten verursachen. Zu diesen Kosten können die Kosten für Werbung gehören, da diese notwendig ist, um einen hohen Bekanntheitsgrad der zum Verkauf stehenden Waren und Dienstleistungen zu erreichen.

Die Anwendung der Differenzierungsstrategie bringt für Unternehmen eine Menge Vorteile mit sich. Gleichzeitig muss sich eine Organisation darüber im Klaren sein, dass mit der Umsetzung dieser Strategie einige Risiken verbunden sind. Diese Risiken sind (Porter, 1985):

- Eine umfassende Kostenabschätzung im Zusammenhang mit der Umsetzung dieser Strategie ist schwierig.
- Es ist schwer festzustellen, ob diese Kosten durch die Einführung von Preisaufschlägen gedeckt werden können.

- Die erfolgreiche Anwendung der Differenzierungsstrategie kann andere konkurrierende Unternehmen dazu ermutigen, dem gleichen Muster zu folgen.

Schwerpunkt

Die Fokusstrategie ist eine Strategie, die sowohl die Differenzierungs- als auch die Kostenführungsstrategie integriert. Ein Unternehmen, das sich für die Umsetzung der Fokusstrategie entscheidet, muss Märkte mit dem geringsten Wettbewerb identifizieren (Vimala, 2016). Diese Strategie ist ideal, um eine Marktnische zu identifizieren und die Entwicklung von Produktangeboten sicherzustellen, die den Bedürfnissen der Kunden in diesem bestimmten Segment entsprechen.

Der Einsatz einer Fokusstrategie kann die Fähigkeit einer Organisation verbessern, Wettbewerbsvorteile zu erzielen (Freeman, 2012). Ein Unternehmen kann die Kostenführerschaft und die Differenzierungsstrategie gleichzeitig anwenden, was der Fokusstrategie entspricht. Ein Unternehmen, das die Methode der Kostenfokussierung anwendet, würde den Schwerpunkt auf die Erzielung eines Kostenvorteils in seinem Zielmarkt legen.

Ein Unternehmen, das einen auf Differenzierung ausgerichteten Ansatz umsetzt, würde die Differenzierung nur in einem ausgewählten Zielmarkt und nicht im gesamten definierten Marktsegment anwenden. Aus diesem Grund ist es wichtig, das Folgende hervorzuheben (Freeman, 2012):

- Fokus auf Differenzierung - Diese Strategie ist dafür bekannt, dass sie es Unternehmen ermöglicht, Premiumpreise für Premiumprodukte zu verlangen.
- Kostenfokus - diese Strategie ist dafür bekannt, dass sie Unternehmen in die Lage versetzt, bestimmten Käufern Produktangebote zu niedrigen Preisen anzubieten.
- Organisationen, die sich für die Einführung der Schwerpunktstrategie entscheiden, müssen sich der damit verbundenen Risiken bewusst sein.

Diese Risiken sind (Porter, 1985):

- Der Zielmarkt ist nicht groß genug, so dass es schwierig sein könnte, die Notwendigkeit zu begründen, warum eine Organisation Ressourcen für diese Strategie aufwenden sollte.

- Diese Strategie ist möglicherweise nicht ideal für Unternehmen, die Größenvorteile nutzen müssen.
- Der Nischenmarkt ist möglicherweise auf lange Sicht kommerziell nicht lebensfähig, da das Geschäftsumfeld im Allgemeinen instabil ist und die wirtschaftlichen Gegebenheiten in der Regel sehr hart sind.

2.5.3 Rahmen für die Erbringung von Dienstleistungen von Sachdev und Verma (2004)

Die Erwartungen der Kunden sind Werte für die Erbringung von Dienstleistungen, die als Maßstab dienen, an dem die Leistung gemessen wird. Bei der Bewertung der Dienstleistungsqualität vergleichen die Kunden ihre Wahrnehmungen der Leistung mit diesen Standards; daher ist es für Dienstleistungsanbieter sehr wichtig, die Erwartungen der Kunden genau zu kennen.

Nach Sachdev und Verma (2004) sind Kundenwahrnehmungen die Überzeugungen über den erhaltenen, d. h. den erfahrenen Service.

Die Position der vom Kunden wahrgenommenen Dienstleistungsqualität auf dem Kontinuum hängt häufig von der Art der Abweichung zwischen der erwarteten Dienstleistung und der vom Verbraucher wahrgenommenen Dienstleistung ab. Wenn die erwartete Dienstleistung, die ein Kunde wünscht, höher ist als die tatsächliche Dienstleistung, die dem Kunden erbracht wird, ist die Dienstleistungsqualität unbefriedigend und bei einer größeren (negativen) Diskrepanz zwischen erwarteter und wahrgenommener Dienstleistung völlig inakzeptabel.

Wenn das erwartete Produkt oder die erwartete Dienstleistung geringer ist als die wahrgenommene Dienstleistung, ist die wahrgenommene Dienstleistungsqualität (PSQ) mehr als zufriedenstellend und tendiert zur idealen Qualität mit einer größeren (definitiven) Diskrepanz zwischen erwarteter und wahrgenommener Dienstleistung. Die Servicequalität ist in diesem Fall angemessen, da die Kundenerwartungen übertroffen wurden.

Salehi, Kheyrmand und Faraghian (2015) verglichen in ihrer Studie die unterschiedlichen Ansichten verschiedener Autoren zur Konzeptualisierung der Dienstleistungsqualität und stellten Übereinstimmungen in ihren Arbeiten fest. Dazu gehören die aus den verschiedenen Faktoren abgeleiteten Dimensionen der

Dienstleistungsqualität und die unterschiedlichen Übersichtsebenen der Elemente. Durch die Verbindung der verschiedenen Übersichten wurde ein allgemeiner Rahmen für PSQ konzipiert, der die konvergierenden und divergierenden Punkte im Rahmen aufzeigt. Ausgehend von den kritischen Teilen des Dienstleistungserbringungsprozesses und der Unterscheidung zwischen dem Prozess der Dienstleistung und dem Ergebnis der Dienstleistung als den allgemeinen Dimensionen, die Kunden bei der Bewertung der Dienstleistungsqualität verwenden.

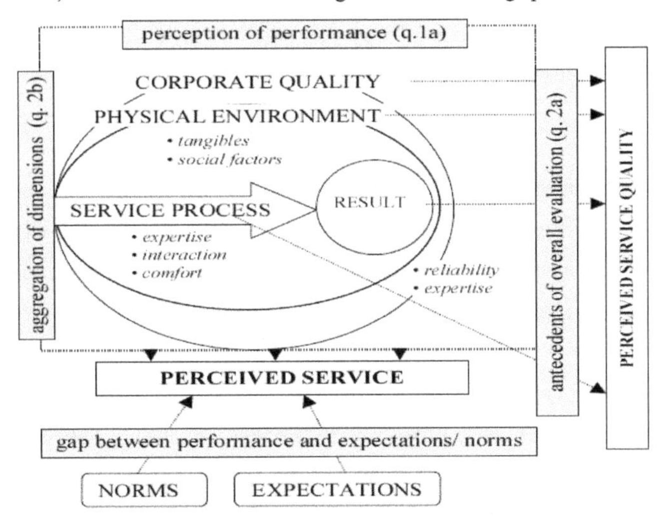

Abbildung 2.3 Rahmen für die Erbringung von Dienstleistungen

Quelle: Sachdev und Verma (2004)

Die Erwartungen der Kunden sind als Werte für die Erbringung von Dienstleistungen bekannt und dienen als Maßstab, an dem die Leistung gemessen wird.

Bei der Bewertung der Dienstleistungsqualität vergleichen die Kunden ihre wahrgenommene Leistung mit diesen Standards; daher ist es für Dienstleistungsanbieter sehr wichtig, die Erwartungen der Kunden genau zu kennen. Eine falsche Annahme darüber, was Kunden wünschen oder erwarten, würde dazu führen, dass ein Kunde sein Geschäft verliert und Geld, Zeit und Ressourcen für Dinge verschwendet, die für den Kunden unwichtig sind. Dies wird sich auf das Überleben einer Organisation in einem hart umkämpften Markt auswirken (Sachdev & Verma, 2004).

Kotler und Keller (2012) brachten zum Ausdruck, dass Kunden Serviceerwartungen aus verschiedenen Quellen entwickeln, darunter ihre früheren Erfahrungen, Mundpropaganda und Werbung. Meistens neigen die Kunden dazu, den wahrgenommenen Service mit dem erwarteten Service zu vergleichen. Wenn der wahrgenommene Service hinter dem geplanten Service zurückbleibt, sind die Kunden enttäuscht und unzufrieden. Erfolgreiche Unternehmen fügen ihren Angeboten daher Leistungen hinzu, die den Kunden nicht nur zufrieden stellen, sondern ihn überraschen und begeistern. Die Kunden zufrieden zu stellen bedeutet, die Erwartungen der Kunden zu übertreffen; daher liegt die wahrgenommene Leistung über der erwarteten Leistung.

Eine Dienstleistung ist ein immaterielles Produkt, dessen Greifbarkeit vor allem in den menschlichen Ressourcen liegt, die bei der tatsächlichen Erbringung der Dienstleistung eingesetzt werden. Daher hängt die Messung der Kundenzufriedenheit von mehreren Faktoren ab, die von den Erwartungen der Kunden über das Serviceerlebnis bis hin zum menschlichen Element in der eigentlichen Dienstleistung reichen (Kothari, 2017).

Nach Khodakarami und Chan (2014) gehören zu den Faktoren, die die Kundenzufriedenheit bestimmen, folgende:

a) Produkt- und Dienstleistungsmerkmal: Die erzielte Leistung kann durch die Merkmale der Produkte und Dienstleistungen ausgelöst werden.

b) Emotionen der Verbraucher: Dies bezieht sich auf den Gemütszustand des Verbrauchers, der sich auf die Zufriedenheit mit einem Produkt oder einer Dienstleistung auswirken kann.

c) Wahrnehmungen von Gerechtigkeit/Fairness: Die von den Verbrauchern wahrgenommene Fairness bei der Bearbeitung ihrer Anfragen oder Bedürfnisse durch den Dienstleistungsanbieter bestimmt ebenfalls den Grad ihrer Zufriedenheit.

d) Einfluss von anderen: Die Mundpropaganda oder die Äußerung der Zufriedenheit oder deren Fehlen durch andere Verbraucher wie Freunde und Familie kann sich ebenfalls auf die Zufriedenheit des Verbrauchers auswirken.

e) Attribute des Erfolgs oder Misserfolgs einer Dienstleistung: Dies bezieht sich auf die Art und Weise, in der der Verbraucher die Ursachen der Ereignisse wahrnimmt, die zu der tatsächlichen Dienstleistungserfahrung führen.

2.6 Wachstumsförderung durch Produktdifferenzierung

Strategische Unternehmensleiter entwickeln für jeden Geschäftsbereich Differenzierungsstrategien, die ihn von den anderen Geschäftsbereichen unterscheiden, die seinen Wettbewerbsvorteil ausmachen, was darauf hindeutet, dass seine Differenzierungsstrategie von seinen Konkurrenten nicht einfach kopiert werden kann (Keramati, Apornak, Abedi, Otrodi & Roudneshin, 2018). Innerhalb ein und derselben Branche können mehrere Differenzierungsstrategien erfolgreich sein, je nach den verfügbaren Ressourcen, die jedem Unternehmen in der Branche zur Verfügung stehen (Kocoglu, 2012). Jede Geschäftseinheit in einer Branche konkurriert mit unterschiedlichen Strategien. Der Versuch, alle Differenzierungsstrategien in einem großen Unternehmen zu analysieren, wäre jedoch mühsam. Forscher haben verschiedene Strategien auf der Grundlage der strategischen Ähnlichkeiten in eine generische Strategie eingeordnet (Khodakarami & Chan, 2014). Darüber hinaus werden Unternehmen, die dieselbe generische Strategie anwenden, als strategische Gruppe bezeichnet (Keramati et al., 2018).

Die Forscher argumentierten, dass es nicht immer eindeutig ist, die strategische Gruppe innerhalb einer Branche zu identifizieren. Außerdem kann es einen oder mehrere Konkurrenten geben, die innerhalb der Gruppe agieren und schwer zu klassifizieren sind (Kaplan & Norton, 2000). Da die generische Strategie zu einfach ist, ist die Auswahl einer generischen Strategie in einer bestimmten Branche nur der erste Schritt zur Formulierung einer wirksamen Unternehmensstrategie (Kaplan & Norton, 2000). Weitere wichtige Schritte sind die Feinabstimmung der Strategie und die Anpassung derselben an die einzigartigen Ressourcen, die dem Unternehmen zur Verfügung stehen (Abu Aliqah, 2012). Es wird angenommen, dass die beiden Theorien, die die Differenzierungsstrategie untermauern, folgende sind: Porters Theorie der Differenzierungsstrategie und die Theorien von Miles und Snow über eine Differenzierungsstrategie. Diese beiden strategischen Theoretiker bilden den Ausgangspunkt für Unternehmensstrategien (Abu Aliqah, 2012).

Kotler (1991) schlug vor, dass die Einführung von Produktdifferenzierung das Wachstum einer Organisation durch die Erzielung von Wettbewerbsvorteilen fördern kann. Um sich einen Wettbewerbsvorteil gegenüber seinen Konkurrenten zu verschaffen, müssen einige Elemente einer Organisation berücksichtigt werden. Diese Elemente sind (Kotler, 1999):

- Der Marketing-Mix
- Der Lebenszyklus seiner Produkte
- Spezifische Zielmärkte

Zur Umsetzung einer Produktdifferenzierungsstrategie muss eine umfassende Analyse der Organisation durchgeführt werden. Der Einsatz von strategischen Instrumenten, die die Produktanalyse unterstützen, muss durchgeführt werden, um den Vergleich zwischen den Produkten einer Organisation und ihren Wettbewerbern zu erleichtern. In diesem Zusammenhang werden drei wichtige Produktanalyseinstrumente eingesetzt. Diese Instrumente sind im Folgenden aufgeführt (Zott et al., 2011; Amoako-Gyampah & Acquaah, 2008; Porter, 1985)

- Boston Consulting Group Matrix (BCG)
- Produktlebenszyklus
- SWOT-Analyse

2.6.1 Boston Consulting Group (BCG) Matrix

Eine Organisation, die ihr Produktportfolio analysieren möchte, kann die BCG-Matrix verwenden. Dieses Instrument wird zur Untermauerung des Konzepts der Produktlebenszyklustheorie verwendet (Hill, 1985). Die Verwendung der BCG-Matrix hilft einem Unternehmen, seine operativen Geschäftseinheiten in vier Teile zu kategorisieren, nämlich (Zott et al., 2011) Stars, Fragezeichen, Cash Cows und Dogs.

Aus der obigen BCG-Matrix geht hervor, dass der Cashflow eines Unternehmens umso höher ist, je höher der Marktanteil ist. Dies kann auch durch die von Porter (1985) vorgeschlagene Erfahrungskurve bestätigt werden. Das Konzept der Erfahrungskurve besagt, dass eine Steigerung des Marktanteils eines Unternehmens darauf hindeutet, dass sich das Unternehmen im Vergleich zu seinen Konkurrenten auf der Erfahrungskurve vorwärts bewegt. Angesichts dessen ist es logisch zu sagen, dass ein Unternehmen durch dieses Konzept einen Kostenvorteil entwickeln kann.

Die oben dargestellte Matrix erklärt auch die Tatsache, dass die Produktionskapazität eines Unternehmens durch die Zuführung einer beträchtlichen Investition erhöht werden kann, wenn der Markt als "wachsend" angesehen wird. Vor diesem Hintergrund ist es von entscheidender Bedeutung, die einzelnen Phasen der BCG-Matrix zu erläutern.

Sterne

Produkte, die als "Stars" angesehen werden, sind solche, die aufgrund des höchsten Marktanteils in der Branche einen hohen Umsatz erzielen. Es ist von entscheidender Bedeutung, dass die Produkte, die als "Stars" gelten, aufgrund der Wachstumsrate auf dem Markt dazu neigen, Barmittel zu verbrauchen (Hill, 1985). Ein Produkt, das in der Lage ist, seinen Marktanteil in einem bestimmten Geschäftsumfeld zu halten, wird zu einer "Cash Cow". Ein Produkt, das zu einer "Cash Cow" wird, ist daher eine Quelle von Bareinnahmen für das Unternehmen.

Fragezeichen

Produkte, die in die "Fragezeichen"-Phase eingestuft werden, sind solche, die ein sehr hohes Wachstum aufweisen und daher dazu neigen, die meisten Barmittel zu verbrauchen (Slack et al., 2007). Da diese Produkte einen relativ geringen Marktanteil haben, würden sie dem Unternehmen nur wenig Geld einbringen. Aus diesem Grund haben mehrere Autoren und Experten den Namen "Sorgenkind" für die Fragezeichenphase geprägt.

Experten gehen jedoch davon aus, dass Produkte, die als "Fragezeichen" angesehen werden, eine Menge Potenzial haben und als solche schließlich ein Star werden können (Porter, 1985). Ein Produkt, das als Star angesehen wird, neigt dazu, ein Goldesel zu werden. Aus diesem Grund ist es für Unternehmen von größter Wichtigkeit, Produkte, die als "Fragezeichen" angesehen werden, zu überwachen. Es könnte Werbung geschaltet werden, um den Bekanntheitsgrad des Produkts zu erhöhen, und es könnte eine Produktdifferenzierung vorgenommen werden, um dem Produkt ein neues Gefühl und Aussehen zu geben. Dies kann für höhere Umsätze und einen größeren Marktanteil sorgen und damit den Weg zu den Stars und zur Cash-Cow-Phase ebnen.

Cash Cows

Produkte, die in der Cash-Cow-Phase platziert werden, sind diejenigen, die als führend in der Branche angesehen werden. Diese Produkte bieten den Unternehmen eine hohe

Kapitalrendite (ROI) (Amoako-Gyampah & Acquaah, 2008). Entscheidend ist, dass die Produkte mehr Geld einbringen, als sie ausgeben, und daher als äußerst rentabel angesehen werden.

Es ist von größter Bedeutung, dass Unternehmen ihre "Cash Cows" nutzen, da sie eine wesentliche Quelle für die Generierung von Bargeld für das Unternehmen sind. Die erwirtschafteten Mittel sollten für die Entwicklung von Produkten und vor allem für die Unterstützung von Produkten verwendet werden, die das Potenzial haben, ein "Star" und eine "Cash Cow" zu werden.

Hunde

Produkte, die als Hunde angesehen werden, sind solche, die eine geringe Wachstumsrate und einen geringen Marktanteil aufweisen (Amoako-Gyampah & Acquaah, 2008). Das bedeutet, dass die Produkte keine liquiden Mittel erwirtschaften, um ihre Existenz zu sichern. Unternehmen, die solche Produkte behalten, müssen aufgrund des begrenzten Erfolgspotenzials der Produkte mit gebundenen Mitteln rechnen. Aus diesem Grund ist es ratsam, neue innovative Produkte zu entwickeln, die der Organisation helfen, Geld zu verdienen.

2.6.2 Produktlebenszyklus

Die Produktlebenszyklustheorie ist eine Theorie, die für die Analyse von Produkten in Organisationen als bedeutsam angesehen wird. Ein Produkt muss sich in seinem Lebenszyklus von der Einführungsphase bis zur Phase des Rückgangs bewegen. Im Lebenszyklus eines Produkts gibt es vier Stadien, nämlich (Freeman, 2012) das Einführungsstadium, das Wachstumsstadium, das Reifestadium und das Niedergangstadium.

Das Instrument des Produktlebenszyklus wird verwendet, um die Situation eines Produkts einer Organisation im Vergleich zu den Wettbewerbern im gleichen Geschäftsumfeld zu bewerten.

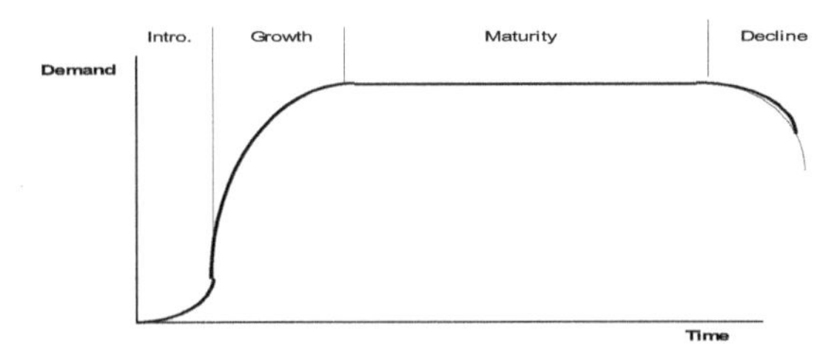

Abbildung 2.4 Produktlebenszyklus. Quelle (Proctor, 2002)

Aus dem oben dargestellten Produktlebenszyklus geht hervor, dass es vier Phasen gibt, die ein Produkt durchläuft. Aus diesem Grund ist es notwendig, die einzelnen Phasen im Lebenszyklus eines Produkts zu erklären. Dies ist im Folgenden dargestellt:

Einführungsphase

Diese Phase gilt als die heikelste Phase, da das Produkt gerade erst eingeführt und auf dem Markt verkauft wird und die Reaktionen des Marktes daher nicht vorhergesagt werden können. Nach (Jobber, 2004) überleben die von Unternehmen entwickelten Produkte diese Phase in der Regel nicht. Daher ist es von entscheidender Bedeutung, dass eine Organisation ein großes Bewusstsein für das Produkt schafft, damit sich der Markt für das Produkt interessiert. Diese Phase hat einen erheblichen Einfluss auf den Marketing-Mix des Produkts. Diese sind (Freeman, 2012):

- Das Produkt: In dieser Phase wird die Qualität des Produkts geschaffen und auf dem Markt bekannt gemacht.
- Preis: In dieser Phase verkaufen die meisten Unternehmen ihre Produkte in der Regel zu sehr niedrigen Preisen, um sich einen beträchtlichen Marktanteil in der Branche zu sichern. Außerdem können Methoden der Preisabschöpfung angewandt werden, um genügend Bargeld zu generieren, um die mit dem Produkt verbundenen Entwicklungskosten zu decken.
- Ort: In dieser Phase herrscht große Unsicherheit über den Standort des Produkts, da die Kunden noch nichts gekauft haben. Solange die Kunden in der Branche das Produkt nicht gekauft haben, kann ein Standort nicht festgelegt und garantiert werden.
- Werbung: In dieser Phase ist der Einsatz von Werbung notwendig, um den Bekanntheitsgrad zu erhöhen und den Kauf des Produkts zu gewährleisten.

Wachstumsphase

In dieser Phase geht es darum, dass ein Unternehmen seine Marke entwickelt und einen guten Marktanteil in der Branche erlangt. In Anbetracht des Vorangegangenen sind die Auswirkungen auf den Marketing-Mix folgende (Proctor, 2002)

- *Das Produkt:* Die Qualität des Produkts wird festgelegt und aufrechterhalten. Auch die Hinzufügung von wertsteigernden Dienstleistungen könnte einbezogen werden
- *Preis:* Die Organisationen sind bestrebt, den Wettbewerb in der Branche einzuschränken, so dass die auf die Produkte erhobenen Preise beibehalten werden.
- *Ort:* In dieser Phase ist die Nachfrage nach den Produkten hoch, so dass die Vertriebskanäle erweitert werden müssen.
- *Werbung: Um* den Absatz von Produkten zu steigern, sorgen die Unternehmen dafür, dass alle Formen der Werbung an ein größeres Publikum gerichtet werden.

Reifegrad

In dieser Phase versucht eine Organisation, ihren Gewinn zu maximieren und einen bedeutenden Marktanteil in der Branche zu halten (Javed & Cheema, 2017). Diese Phase ist dadurch gekennzeichnet, dass der Wettbewerb in der Branche hart ist und der Absatz des Produkts der Organisation allmählich zurückgeht. Daher ist der Einfluss dieser Phase auf den Marketing-Mix (Kotler & Keller, 2012):

- Produkt: Das Produkt könnte geändert werden, um den Wettbewerb zu gewährleisten
- Preis: Aufgrund des Wettbewerbs können die Preise für die Produkte niedrig angesetzt werden.
- Ort: Aufgrund des Wettbewerbs können Unternehmen Anreize für Kunden bieten, die Produkte kaufen.
- Förderung: Die meisten Organisationen legen mehr Wert auf die Nutzung der Differenzierungsstrategie

Stadium des Niedergangs

In dieser Phase sind die Unternehmen gezwungen, Entscheidungen über ihre Produkte zu treffen. Einige realisierbare Optionen könnten sein (Kotler & Keller, 2012):

- Das Produkt könnte umgestaltet werden, um den Kunden ein anderes Gefühl zu vermitteln.
- Es könnten neue Segmente identifiziert werden, um dieselben Produkte anzubieten. Dies muss jedoch zu einem deutlich niedrigeren Preis geschehen.
- Das gesamte Produkt könnte aufgrund des Umsatzrückgangs an Wettbewerber verkauft werden.

2.7 SWOT-Analyse

Die SWOT-Analyse wird als strategisches Instrument betrachtet, das von Organisationen zur Bewertung ihrer Stärken, Schwächen, Chancen und Gefahren eingesetzt wird (Heskett, 1976). Sie ist ein wichtiges Instrument, das auch zur Bewertung der internen und externen Umstände einer Organisation verwendet werden kann. Das interne und externe Umfeld wird wie folgt klassifiziert (Daft, 1988):

- Internes Umfeld - besteht aus den Stärken und Schwächen einer Organisation
- Externes Umfeld - besteht aus den Chancen und Bedrohungen für eine Organisation

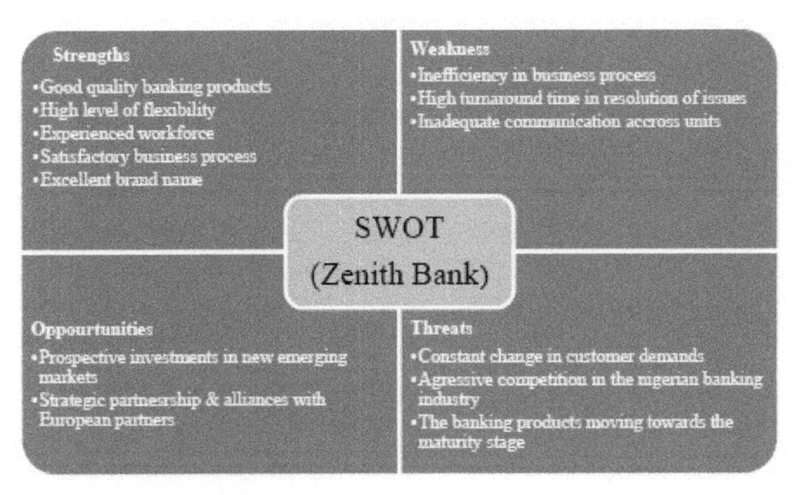

Abbildung 2.5 Zenith Bank SWOT-Analyse

Jedes Unternehmen muss seine Kernstärken und wesentlichen Schwächen bewerten, die sich auf die folgenden Bereiche beziehen (Kotler & Keller, 2012):

- Die Bankfähigkeiten einer Organisation
- Die Marketingfähigkeiten einer Organisation
- Die Zuständigkeiten einer Organisation

Da es für eine Organisation schwierig sein könnte, all ihre Schwächen zu korrigieren, ist es logisch, dass sie sich auf ihre Kernstärken konzentriert, um alle Formen von Schwächen zu überwinden und so den gewünschten Wettbewerbsvorteil in ihrem Geschäftsumfeld zu erzielen. Ebenso muss eine Organisation alle Umweltkräfte bewerten, die ausschließlich die Fähigkeiten und die allgemeine Nachhaltigkeit des Unternehmens beeinflussen. Zu diesen Umweltkräften gehören (Heskett, 1976):

- Wirtschaftliche Faktoren
- Technologische Faktoren
- Soziale und politische Faktoren

In Anbetracht der vorstehenden Ausführungen ist es offensichtlich, dass eine Organisation diese Faktoren überwachen und ständig bewerten muss, da sie sich direkt auf die Fähigkeit der Organisation auswirken, langfristig einen erheblichen Gewinn zu erzielen.

Zielformulierung

Sobald die SWOT-Analyse einer Organisation abgeschlossen ist, kann mit der Formulierung der strategischen Ziele begonnen werden. Der Begriff Ziele wird in einer Organisation verwendet, weil es sich um primäre Ziele handelt, die als entscheidend für den Gesamterfolg der Organisation angesehen werden (Zott, Amit & Massa, 2011). Organisatorische Ziele müssen aus den folgenden Gründen in messbare strategische Ziele umgewandelt werden (Zott et al., 2011):

- Sie trägt zur Verbesserung des Managementplanungsprozesses bei
- Es fördert die Umsetzung der gesetzten Ziele
- Sie hilft in der Überwachungs- und Kontrollphase bei der Erreichung der gesetzten Ziele.

Formulierung der Strategie

Die Phase der Strategieformulierung schließt sich unmittelbar an die Festlegung der Ziele an. Diese Phase ist für die strategischen Marketingplanungsaktivitäten einer Organisation von großer Bedeutung. Organisationen müssen Pläne erstellen, um die festgelegten Ziele einer Organisation zu erreichen, was als "Strategie" bezeichnet wird. Vor diesem Hintergrund kann die Strategie einer Organisation Folgendes umfassen (Zott et al., 2011):

- Beschaffungsstrategie
- Marketingstrategie
- Technologische Strategie

In der globalen Geschäftswelt von heute werden verschiedene Marketingstrategien eingesetzt.

2.8 Andere Bereiche der Differenzierung

i. Produktdifferenzierung

Bei der traditionellen Offline-Differenzierung liegt der Schwerpunkt auf der Produktdimension; die anderen Bereiche wurden verwendet, wenn der tatsächliche Unterschied zwischen konkurrierenden Produkten sehr gering ist. Auch bei Online-Transaktionen differenzieren die Unternehmen immer noch nach Produktmerkmalen. Der vielleicht größte Beitrag des Internets zur globalen Wirtschaft liegt in der Produkt-/Dienstleistungsdifferenzierung, d. h. in der buchstäblich unbegrenzten Auswahl an Produkten, die Unternehmen anbieten können. Auch die Banken können dieses riesige Sortiment als Plattform nutzen, um ihr Produktangebot auf den einzelnen Kunden zuzuschneiden. Die Nutzung des Internets als Marketinginstrument kann sich erheblich auf die Produktverpackung auswirken. Da immer mehr Transaktionen online und nicht im Unternehmen abgewickelt werden, könnten die Verbraucher Produkte mit freundlicheren Merkmalen verlangen.

ii. Differenzierung der Dienstleistungen

Es gibt viele Möglichkeiten, wie sich ein Online-Unternehmen durch seine Dienstleistungen von anderen abheben kann. Eine Möglichkeit, den Kundendienst zu verbessern, ist die Fähigkeit des Unternehmens, rund um die Uhr Kundenfeedback per E-Mail zu erhalten. Es sollte nahtlos organisiert sein, um dem Anrufer ein einzigartiges

Erlebnis zu bieten, selbst wenn die Telefonisten und Kundendienstmitarbeiter nicht an ihrem Arbeitsplatz verfügbar sind. Dies gibt auch einen Hinweis auf die Fähigkeit des Unternehmens, schneller (in Echtzeit) auf Kundenanliegen zu reagieren. Ein weiterer Aspekt der Dienstleistungsdifferenzierung ist die Geschwindigkeit, mit der der Kunde seine Geschäfte online abwickeln kann. In der Handelsbranche werden Online-Dienste, wie z. B. Online, immer beliebter. Die wichtigsten Differenzierungsmerkmale sind sowohl die Funktionen, die sie bieten, als auch die Erfahrungen bei der Inanspruchnahme der Dienste (Keramati et al., 2018). In vielen Unternehmen ergänzen diese Dienste derzeit die traditionellen Offline-Dienste, doch mit dem weiteren Fortschritt in der Informationstechnologie und der zunehmenden Vernetzung der Welt über das Internet könnten Online-Dienste eines Tages die konventionellen Dienste ersetzen, die derzeit innerhalb der Unternehmensmauern erbracht werden (Keramati et al., 2018).

iii. Personelle Differenzierung

In der Vergangenheit waren für personalisierte Dienstleistungen und persönliche Beziehungen zwischen Unternehmen und Verbrauchern kostspielige Fachkräfte erforderlich. Heute ermöglicht das Internet den Unternehmen, ihre Produkte und Dienstleistungen über kostengünstige Kanäle zu liefern, die den Prozess automatisieren (Keramati et al., 2018). Indem das Internet die Abhängigkeit eines Unternehmens von Personal zur Abwicklung von Transaktionen verringert, senkt es die Transaktionskosten und ermöglicht einen Kostenvorteil gegenüber Offline-Transaktionen. Es führt auch zu einer Kostensenkung für den Endnutzer und ermöglicht eine Differenzierung durch ein höheres Dienstleistungsniveau zu niedrigeren Preisen (Keramati et al., 2018). Da immer mehr Unternehmen Produkte und Dienstleistungen online anbieten, wird der Kostenvorteil zwischen Online- und Offline-Geschäften mit der Zeit schrumpfen.

iv. Kanal-Differenzierung

Die Internetplattform dient als orts- und zeitunabhängiger Vertriebs- und Kommunikationskanal. Das Internet hebt die Grenzen der Lokalisierung auf und erweitert die Reichweite eines Finanzinstituts von lokal auf global, 24 Stunden am Tag, sieben Tage die Woche, dreißig Tage im Monat und mit einem unbegrenzten Produktsortiment. Die Kunden können mit dem Unternehmen zu jeder Tages- und

Nachtzeit und von jedem Ort der Welt aus Geschäfte tätigen, im Gegensatz zur Aktiengesellschaft.
Produkte und eingeschränkte Öffnungszeiten traditioneller Finanzinstitute mit Ladengeschäft. Die Differenzierung des Online-Kanals findet auf mehreren Ebenen statt.
Erstens haben Unternehmen, die im Internet Informationen über Produkte oder Dienstleistungen anbieten, einen Vorteil gegenüber Unternehmen ohne Internetpräsenz, da sie das Internet als Kommunikationskanal nutzen können. Zweitens nutzen Unternehmen, die kommerzielle Transaktionen online durchführen, die Vorteile des Internets als Transaktions- und Vertriebskanal. Betrachtet man dies auf einer höheren Ebene, so ergibt sich eine Differenzierung des Angebots an internetbezogenen Dienstleistungen der Wettbewerber. Außerdem bieten einige Unternehmen auf ihren Websites hochspezialisierte persönliche Dienstleistungen an - "Do it yourself" -, die es ermöglichen, z. B. Telefondienste zu übertragen und Rechnungen online zu bezahlen.

v. Bilddifferenzierung

Es wird empfohlen, dass "Online-Vermarkter das Online-Erlebnis der Nutzer verbessern müssen, um potenzielle Kunden zum Kauf zu bewegen" (Khan, 2020). Darüber hinaus kann sich ein Unternehmen durch die Schaffung eines einzigartigen Kundenerlebnisses in Form eines überragenden Kundendienstes von der Konkurrenz abheben und dieses Erlebnis folglich zu einem Markenzeichen machen. Durch Experience Branding können "Unternehmen ihre Fähigkeit, Kunden zu binden, Schlüsselkunden anzusprechen, wichtige Kundensegmente anzusprechen und die Rentabilität des Netzes zu verbessern, erheblich verbessern" (Khan, 2020). Die interaktive Natur des Internets ermöglicht es den Unternehmen, schneller auf Kundenwünsche und -bedürfnisse zu reagieren. Darüber hinaus ermöglicht die Geschwindigkeit, mit der Internet-Transaktionen und -Kommunikation stattfinden, dem Unternehmen eine schnellere Kommunikation sowohl mit den aktuellen als auch mit den potenziellen Kunden, was in gewisser Weise ein kritischer Erfolgsfaktor für die Bindung des aktuellen Kundenbestands und die Gewinnung neuer Kunden ist (Khan, 2020).

2.9 Strategie-Uhr

Es gibt zahlreiche Debatten darüber, was jede der drei generischen Strategien von Porter genau bedeutet; insbesondere herrscht eine gewisse Verwirrung über Porters Kostenführerschaft mit niedrigen Preisen. Um hier Abhilfe zu schaffen, haben Slack et al. (2007) marktorientierte generische Strategien verwendet, die denen von Cliff Bowman und Richard D'Aveni (1996) ähneln. Diese beruhen auf der Auffassung, dass ein Wettbewerbsvorteil dadurch erreicht wird, dass man den Kunden das, was sie brauchen oder wollen, effektiver und besser als die Konkurrenz anbietet. Die Strategieuhr nimmt Porters Kategorien der Differenzierung auf und konzentriert sich neben dem Preis. Sie ist ein weiteres geeignetes Mittel, um die Wettbewerbsposition eines Unternehmens im Vergleich zu den Angeboten seiner Konkurrenten zu analysieren.

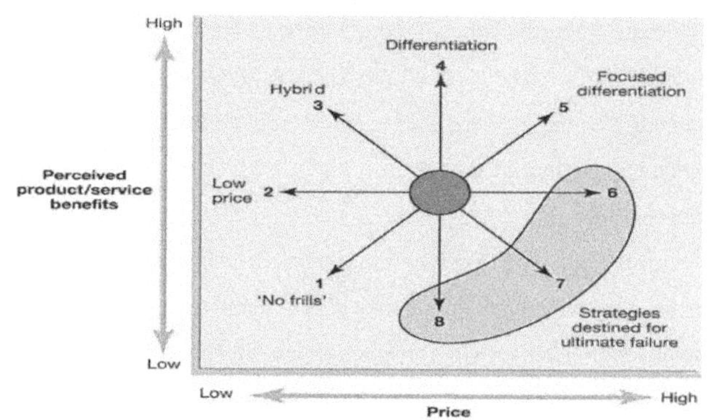

Abbildung 2.6: Bowman's Strategy Clock

(Quelle: http://www.pineint.com/about-us/business-level-strategy/. Abgerufen am 26/04/2022)

Die Entscheidungen der Kunden beruhen auf ihrer Wahrnehmung des Preis-Leistungs-Verhältnisses, also der Kombination aus Preis und wahrgenommenem Produkt-/Dienstleistungsnutzen. Die Strategieuhr zeigt verschiedene Positionen auf einem Markt, auf dem Kunden oder potenzielle Kunden unterschiedliche Anforderungen an das Preis-Leistungs-Verhältnis haben. Die Ansichten stellen auch eine Reihe von allgemeinen Strategien zur Erzielung von Wettbewerbsvorteilen dar (Slack et al., 2007).

Abbildung 2.6 veranschaulicht die Beispiele für unterschiedliche Wettbewerbsstrategien, die von den Unternehmen in Bezug auf die verschiedenen Positionen auf der Strategieuhr verwendet werden.

Da die Strategien auf den Markt ausgerichtet sind, ist es von entscheidender Bedeutung, die kritischen Erfolgsfaktoren für jede der Positionen auf der Uhr zu verstehen.

Für die Kunden der Positionen 1 und 2 ist der Preis nur dann von Bedeutung, wenn die Vorteile des Produkts oder der Dienstleistung ihre Anforderungen erfüllen. Kunden der Position 5 hingegen verlangen ein individuelles Produkt oder eine Dienstleistung, für die sie bereit sind, einen höheren Preis zu zahlen.

Es ist weniger wahrscheinlich, dass das Volumen und der Rhythmus der Nachfrage auf einem Markt gleichmäßig über die Positionen auf der Uhr verteilt sind.

Eine kurze Beschreibung der Routen finden Sie unten:

- Preisbasierte Strategien (Routen 1 und 2): Hierbei handelt es sich um eine schnörkellose Strategie, die einen niedrigen Preis mit einem wahrgenommenen geringen Produkt- oder Dienstleistungsnutzen kombiniert; sie konzentriert sich auf das preisempfindliche Marktsegment. Dieses Segment könnte bestehen aufgrund von:
- Das Vorhandensein von Warenmärkten - Dies sind Märkte, auf denen die Kunden keinen Unterschied im Angebot der verschiedenen Anbieter schätzen oder bemerken. Der Preis wird daher zur wichtigsten Wettbewerbsfrage. Ein Beispiel sind Grundnahrungsmittel, insbesondere in Entwicklungsländern.
- Preissensible Kunden - Diese Kunden können sich keine höherwertigen Waren leisten oder wollen diese nicht kaufen. Dieses Marktsegment ist für die großen Anbieter vielleicht nicht attraktiv, bietet aber für andere eine Chance.
- Käufer, die hohe Stromkosten oder niedrige Wechselkosten haben, so dass es kaum eine Wahl gibt.
- Die Strategie bietet eine hervorragende Möglichkeit, große Konkurrenten zu umgehen - wo andere Anbieter auf einer anderen Basis konkurrieren, könnte ein Niedrigpreissegment eine Chance für kleinere Anbieter oder neue Marktteilnehmer sein, sich eine Nische zu schaffen.

Weg 2: Niedrigpreisstrategie: Sie zielt darauf ab, einen niedrigeren Preis als die Konkurrenten zu erzielen, aber dennoch einen ähnlichen wahrgenommenen Produkt- oder Dienstleistungsnutzen wie die Konkurrenten zu erhalten. Der Wettbewerbsvorteil einer Niedrigpreisstrategie kann dadurch erreicht werden, dass man sich auf ein Marktsegment konzentriert, das für die Konkurrenten unattraktiv ist, und auf diese Weise den Wettbewerbsdruck vermeidet, der den Preis untergräbt. Es gibt zwei Fallstricke, wenn man mit dem Preis konkurriert:

- Verringerung der Gewinnspannen für alle - Durch eine Preissenkung kann ein taktischer Vorteil erzielt werden, der jedoch höchstwahrscheinlich von den Wettbewerbern durch die Verringerung der Gewinnspannen für alle nachgeholt wird.
- Unfähigkeit zu Re-Investitionen - Niedrige Gewinnspannen verringern die Ressourcen, die für die Entwicklung von Produkten und Dienstleistungen zur Verfügung stehen, und führen zu einem Verlust des wahrgenommenen Nutzens des Produkts.

- Niedrige Kosten sind an sich keine Grundlage für einen Wettbewerbsvorteil, denn die Herausforderung besteht darin, wie die Kosten gesenkt werden können, ohne dass sie sich angleichen. Es ist schwierig, aber möglich, wenn man mit niedrigeren Gewinnspannen arbeitet, eine einzigartige Kostenstruktur hat und über organisationsspezifische Fähigkeiten verfügt.

Breit angelegte Differenzierungsstrategien (Route 4): Bei dieser Strategie werden Produkte oder Dienstleistungen angeboten, die sich von denen der Konkurrenz unterscheiden und von den Käufern sehr geschätzt werden. Ziel ist es, einen Wettbewerbsvorteil zu erzielen, indem bessere Produkte oder Dienstleistungen zum gleichen Preis oder zu einem etwas höheren Preis als die Konkurrenz angeboten werden. Der Erfolg dieser Strategie hängt von folgenden Faktoren ab:

- Identifizierung und Verständnis des strategischen Kunden - Die Idee des strategischen Kunden ist nützlich, da sie die Aufmerksamkeit auf die Zielgruppen der Strategie lenkt. Dies ist nicht immer einfach. Ein Beispiel ist das Zeitungsgeschäft: Ist der Kunde der Leser der Zeitung, der Anzeigenkunde oder beides? Es ist wichtig, kritische Erfolgsfaktoren zu erkennen, da das, was der strategische Kunde schätzt, auch von den Führungskräften einer Organisation als selbstverständlich angesehen werden kann.

- Identifizierung der wichtigsten Konkurrenten - Eine Organisation muss feststellen, mit wem sie konkurriert. Alle Akteure in jeder strategischen Gruppe müssen entscheiden, wen sie als Konkurrenten betrachten und auf welcher Grundlage sie sich differenzieren wollen.
- Schwierigkeit der Nachahmung - Eine Organisation muss prüfen, wie leicht sie von ihren Konkurrenten nachgeahmt werden kann.
- Der Grad der Anfälligkeit für den Preiswettbewerb - Auf einigen Märkten sind die Kunden preisempfindlich. In diesem Fall ist die Grundlage der Differenzierung angesichts niedrigerer Preise nicht ausreichend.

Hybride Strategie (Route 3): Bei dieser Strategie wird versucht, gleichzeitig eine Differenzierung und einen niedrigen Preis im Vergleich zu den Wettbewerbern zu erreichen. Ihr Erfolg hängt von der Fähigkeit eines Unternehmens ab, den Kunden einen höheren Nutzen bei niedrigen Preisen zu bieten und gleichzeitig ausreichende Margen für Reinvestitionen zu erzielen, um die Grundlagen der Differenzierung zu erhalten und auszubauen.

Die Debatte darüber, ob die Hybridstrategie eine erfolgreiche Wettbewerbsstrategie sein kann oder nicht, ist eher ein suboptimales Zugeständnis zwischen niedrigem Preis und Differenzierung. Die hybride Strategie ist jedoch vorteilhaft, wenn:

- Es können wesentlich höhere Mengen als bei den Wettbewerbern eines Unternehmens erzielt werden. Dadurch können die Gewinnspannen auf einer Niedrigkostenbasis immer noch besser sein.
- Es gibt Kostensenkungen außerhalb seiner differenzierten Aktivitäten - ein Beispiel ist IKEA.
- Sie kann als Markteintrittsstrategie auf einem Markt mit etablierten Wettbewerbern eingesetzt werden.

Gezielte Differenzierung (Route 5): Diese Strategie bietet einen hohen wahrgenommenen Produkt- oder Dienstleistungsnutzen, der in der Regel einen

Preisaufschlag für einen ausgewählten Markt oder eine Nische rechtfertigt. Die gezielte Differenzierung wirft jedoch einige wichtige Fragen auf:

- Wahrscheinlich müsste eine Entscheidung zwischen einer Fokussierungsstrategie (Position 5) und einer breiten Differenzierung (Position 4) getroffen werden. Beabsichtigt ein Unternehmen, eine Strategie zu verfolgen, die internationales Wachstum mit sich bringt, muss es sich entscheiden, ob es sich einen Wettbewerbsvorteil auf der Grundlage eines globalen Produkts und einer globalen Marke verschafft (Position 4) oder sein Angebot an spezifische Märkte anpasst (Position 5).
- Spannungen zwischen anderen Strategien und der Schwerpunktstrategie - Ein Beispiel dafür ist der breit aufgestellte Automobilhersteller Ford, der Jaguar und Aston Martin erwarb. Das Unternehmen lernte bald, dass es nicht möglich war, die Autos für den Massenmarkt auf die gleiche Weise zu verwalten. Im Jahr 2007 trennte sich Ford von Aston Martin und beabsichtigte, weitere Unternehmen zu veräußern. Diese Spannungen behindern die Vielfalt der strategischen Positionierung, die ein Unternehmen aufrechterhalten kann.
- Wahrscheinlicher Konflikt mit den Erwartungen der Interessengruppen - Eine öffentliche Bibliothek könnte beispielsweise kosteneffizienter sein, wenn sie ihre Entwicklungsanstrengungen auf IT-gestützte Online-Informationsdienste konzentriert. Dies kann jedoch mit ihrem Ziel der sozialen Eingliederung kollidieren und somit Menschen ausschließen, die keine IT-Kenntnisse haben.
- Wachstumsdynamik für neue Unternehmen - Neue Unternehmen beginnen in der Regel zielgerichtet, d. h. sie bieten innovative Produkte und Dienstleistungen an, um spezifische Bedürfnisse zu erfüllen. Es kann jedoch eine Herausforderung sein, neue Wege für das Wachstum solcher Unternehmen zu finden, und der Wechsel von Route 5 zu Route 4 bedeutet, dass Preise und Kosten gesenkt und gleichzeitig Differenzierungsmerkmale beibehalten werden.

Marktveränderungen können die Unterschiede zwischen den Segmenten aushöhlen und das Unternehmen für einen viel breiteren Wettbewerb öffnen. Die Kunden sind möglicherweise nicht mehr bereit, einen Preisaufschlag zu zahlen, wenn sich die Merkmale der regulären Angebote verbessern. Mehr noch, differenzierte Angebote von Wettbewerbern können den Markt weiter segmentieren. Ein Beispiel hierfür sind

Restaurants der gehobenen Klasse, die von den steigenden Standards in anderen Bereichen und vom Aufkommen von Nischenrestaurants betroffen sind.

Misserfolgsstrategien (Wege 6, 7 und 8): Die Strategie des Scheiterns bietet keinen wahrgenommenen Gegenwert für das Geld in Bezug auf den Produktpreis oder die Merkmale oder beides. Daher sind die von den Routen 6, 7 und 8 vorgeschlagenen Strategien wahrscheinlich zum Scheitern verurteilt. Route 6 sieht eine Preiserhöhung vor, ohne dass sich der Nutzen des Produkts oder der Dienstleistung für den Kunden erhöht. Route 7 ist schlechter, da der Produkt- oder Dienstleistungsnutzen sinkt, während der Preis steigt. Route 8 beinhaltet eine Verringerung des Nutzens bei Beibehaltung des Preises und ist ebenfalls gefährlich. Es besteht die große Gefahr, dass die Wettbewerber ihren Marktanteil erheblich erhöhen. Dies ist eine weitere Ursache für das Scheitern eines Unternehmens, das sich über seine grundlegende Strategie nicht im Klaren ist. Es bleibt also in der Mitte stecken, wie von Porter (1980) definiert.

2.10 Operative Exzellenz und Dienstleistungserbringung

Nach Teixeira, Patrıcio, Nunes & Nobrega (2012) sind die vier Schlüsselbereiche, die für das Erreichen von Servicequalität wichtig sind, Servicebegegnungen (Moment der Wahrheit), Servicegestaltung, Serviceproduktivität und Unternehmenskultur. Der Moment der Wahrheit ist ein Spiegelbild der wiederholt bewerteten Gesamtdienstleistungsqualität, die zur Gewinnung und Bindung langfristiger Kundenbeziehungen führt. Beim Servicedesign muss der Anbieter über die richtigen Mitarbeiter, Prozesse und Technologien verfügen, um eine maximale Effizienz und Effektivität bei der Erfüllung oder Übererfüllung der Kundenerwartungen zu erreichen. Die Dienstleistungsproduktivität beschreibt die Beziehung zwischen Qualität, der Qualität der Dienstleistungserbringung und den bei der Dienstleistungserbringung eingesetzten Ressourcen. Die Gewinnung und Bindung der richtigen Talente, ein angemessenes Personalmanagement und andere Organisationsmuster können eine Quelle von Wettbewerbsvorteilen für eine bestimmte Organisation sein. Die Organisationskultur wirkt sich bei der Erbringung von Dienstleistungen sowohl auf externe als auch auf interne Beziehungen aus. Eine gute Organisationskultur zeichnet sich durch einen angemessenen Führungsstil, Vertrauen in die Organisation, Loyalität und eine geeignete Arbeitsumgebung aus.

Eine bemerkenswerte Unternehmenskultur führt zu einem hohen Maß an Vertrauen der Mitarbeiter in die Leitung der Organisation (Teixeira et al., 2012).
Slack et al. (2007) sind der Meinung, dass sich die konsequente Bereitstellung von Qualitätsprodukten und -dienstleistungen für interne und externe Kunden nachweislich positiv auf die Einnahmen und die Kosten auswirkt, und zwar durch bessere Verkäufe und höhere Preise auf dem Markt sowie durch verbesserte Effizienz, Produktivität und Kapitalnutzung.

Salim, Setiawan, Rofiaty und Rohman (2018) definierten Dienstleistungsqualität als den Vergleich zwischen Erwartung und Leistung. Wenn die Leistung hinter den Erwartungen zurückbleibt, ist die Wahrnehmung der Qualität geringer als die Zufriedenheit, was zu unzufriedenen Kunden führt (Sachdev & Verman, 2004). Die Dienstleistungsqualität ist auch eine Vorstufe zur Gesamtzufriedenheit, die offenbar hauptsächlich auf der kognitiven Bewertung der Qualität durch den Kunden beruht (Salehi et al., 2015). Es zielt darauf ab, die Betriebsprozesse zu verbessern, Probleme schnell und systematisch zu identifizieren und praktikable und verlässliche Messgrößen für die Kundenzufriedenheit und andere Leistungsergebnisse festzulegen (Salim et al., 2018). Service-Qualitätsmanagement ist entscheidend, um die Erwartungen der Kunden zu erfüllen und zu übertreffen, wenn es professionell umgesetzt wird, und sichert die wirtschaftliche Wettbewerbsfähigkeit. Eine Kombination aus einem qualitativ hochwertigen Produkt und einem qualitativ hochwertigen Service führt nicht zu einem aggressiven Geschäftswachstum, sondern schafft einen Wettbewerbsvorteil für eine Organisation. Die Fähigkeit, die Kundenwahrnehmung mit den Kundenerwartungen in Einklang zu bringen, steht am Anfang des Qualitätsmanagements für Dienstleistungen. Die Kunden haben Erwartungen an Dienstleistungen, die sich aus Quellen wie früheren Erfahrungen, Werbung, Mundpropaganda und vielen anderen ergeben. Langfristig vergleichen die Kunden den wahrgenommenen Service mit dem erwarteten Service. Sobald der wahrgenommene Service unter den erwarteten Service fällt, drückt der Kunde ein gewisses Maß an Enttäuschung aus, so dass eine Lücke in der Kundenerwartung entsteht. Zufriedenheit kann als eine Kombination aus emotionalen und kognitiven Reaktionen betrachtet werden (Zeithaml et al., 2006). Die Wahrnehmung der Dienstleistung wirkt sich auf das Gefühl der Zufriedenheit aus, was schließlich die

Wahrscheinlichkeit beeinflusst, dass der Kunde die Dienstleistung in Zukunft unterstützt (Soltani & Navimipour, 2016). Unternehmenswachstum entsteht nicht nur durch die Zufriedenheit der Kunden, sondern durch das Übertreffen ihrer Erwartungen (Kotler und Keller, 2012).

Ausfall von Dienstleistungen und Wiederherstellung

Im Großen und Ganzen werden Misserfolg und Wiederherstellung in der Literatur zum Dienstleistungsmarketing als zwei kontextbezogene Konzepte diskutiert, die sich letztlich positiv auf die Zufriedenheit nach der Wiederherstellung auswirken. Es gibt jedoch einige Hinweise darauf, dass die Kundenbindung auch eine wichtige Rolle dabei spielt, ob die Wiederherstellung von Dienstleistungen nach einem Ausfall zu Kundenzufriedenheit führen kann. Peppers und Rogers (2017) weisen darauf hin, dass Kundenloyalität unbeabsichtigte Folgen für die Wiederherstellung von Dienstleistungen haben kann, insbesondere wenn der Kunde emotional so an die Dienstleistung gebunden ist, dass er ein Gefühl des Verrats verspürt, wenn die Dienstleistung ausfällt, was zu einem starken Rückgang der Einstellungen nach der Wiederherstellung führt. Diese Perspektive wurde auch von Thakur und Summey (2010) untersucht, die kontextbezogene Ansätze zur Untersuchung von Dienstleistungsausfällen und -reparaturen untersuchen. Ihre Ergebnisse bestätigen Teixeira et al. (2012), die eine Analogie von Kontingenzen und Abhängigkeiten im Zusammenhang mit interaktioneller und distributiver Gerechtigkeit aufstellten. Die nachstehende Abbildung 2.7 zeigt die variablen Faktoren, die die Kundenzufriedenheit in einem Umfeld beeinträchtigen können, in dem der Fehlerkontext durch die Kundenbewertung des Fehlerkontextes erhöht wird. Die Wahrnehmung des Scheiterns durch den Kunden kann daher durch die Wiederherstellungsstrategien gemildert werden, wenn sie sich auf die Attributionstheorie als Quelle positiver oder negativer emotionaler Auslöser im Kontext der Kundenbeschwerde konzentrieren.

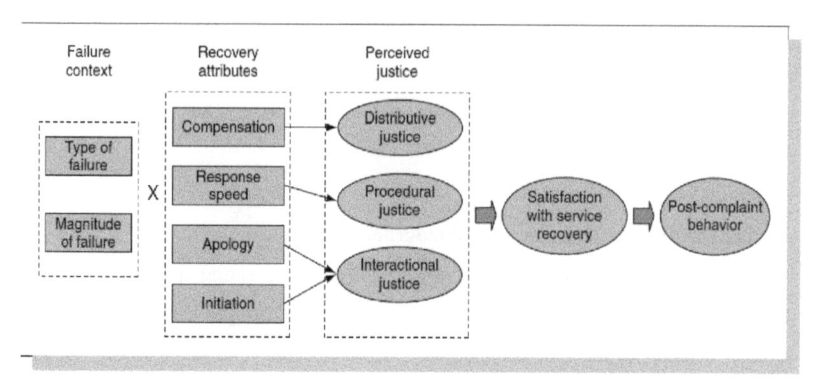

Abbildung 2.7: Ein Rahmen für die Kundenbewertung der Begegnung zwischen Ausfall und Wiederherstellung.

Quelle: Sharma und Rather (2015).

Kunden mit einer geringeren Bindung an das Dienstleistungsangebot oder den Dienstleistungserbringer zeigen möglicherweise mehr Nachsicht, wenn es zu einem Dienstleistungsausfall kommt, und der Wiederherstellungsprozess ist nützlicher als bei Kunden, die eher eine enge Bindung an die Dienstleistung und den Dienstleistungserbringer haben. Wissenschaftler sind der Ansicht, dass dieser Grad der Bindung, ob niedrig oder hoch, von der Art der Dienstleistung, dem Kontext und dem Ausmaß des effektiven Verhaltens des Kunden abhängt. Sharma und Rather (2015) beobachteten dieses Phänomen in einer Studie, die sie in Industrie- und Entwicklungsländern durchführten, wobei sie einen Bezugsrahmen verwendeten, der direkt mit wirtschaftlicher Macht und der Hofstede'schen Macht-Distanz-Dynamik verbunden ist, die in den meisten Entwicklungsländern ausgeprägter ist und mit Kultur, Einstellungen und Glaubenssystemen zusammenhängt. Sie kommen zu dem Schluss, dass die Dienstleistungsqualität und -erwartungen in den Entwicklungsländern niedriger sind, was ihrer Ansicht nach auf eine größere Toleranzzone für ineffektive Dienstleistungen zurückzuführen ist, die zu kaum sporadischen Verbesserungen der Dienstleistungsqualität und -erbringung führt.

2.11 Zusammenfassung der Literaturübersicht

In diesem Kapitel wurden die verschiedenen Facetten von Differenzierungsstrategien erörtert, die für Branchen mit Produkten und Dienstleistungen gelten, insbesondere für den Bankensektor. Verschiedene Rahmenwerke wie das CRM-Rahmenwerk von Winer (2001), das Customer Loyalty Framework von LRC (2014) und Porters (1985) Theorie der Differenzierung und des Wettbewerbsvorteils als theoretischer Rahmen wurden in der Überprüfung hervorgehoben. Aus der empirischen Literatur ging hervor, dass Differenzierung die Verbindung zwischen den Kernkompetenzen des Unternehmens und dem Wettbewerbsvorteil ist. Tabelle 2.1 ist die Zusammenfassung der Literaturübersicht mit den wichtigsten Themen und Autoren.

Tabelle 2.1 Zusammenfassung der Literaturübersicht

Hauptthemen	Wichtige Autoren
Das Konzept des Kundenbeziehungsmanagements	Porter (1985), Payne und Frow (2006), (Choudhury & Harrigan, 2014). Dadzie (2017), (Das & Ravi, 2021). Dhingra und Dhingra (2013) Butt (2021) Cavallone und Modina (2013) Elena (2016) Farmania, Elsyah und Tuori (2021 Freeman (2012), (Ghalenooie, & Sarvestani, 2016). (Hajikhani, Tabibi & Riahi, 2016). (Grewal & Roggeveen, 2020). Hamakhan (2020)
Management von Kundenbeziehungen Ziele	Hammoud, Bizri, und El Baba (2018) (Feyen, Frost, Gambacorta, & Natarajan, 2021). (Diffley & McCole, .2015). Kotler und Keller (2012), (Kocoglu, 2012). (Khasawneh, & bu-Shanab, 2012). (Khan, Salamzadeh, Iqbal, & Yang, 2020) (Khodakarami & Chan, 2014). (Jocovic, Melovic, Vatin & Murgul, 2014) (Jobber, 2004) (Winer, 2001)
Erstellen einer Datenbank	(Jobber, 2004). (Winer, 2001). (WMG, 2009). (Vejacka & Stofa, 2017)
Kundenauswahl	(Zhang, Hu, Guo, & Liu, 2017). Winer (2001)
Kundenansprache	(Vutete, Tumeleng & Wadzanayi, 2015). Jobber (2004) Zhu, Liu, Song, Wu (2021),
Beziehungsmarketing	(Kotler & Armstrong, 2008). (Usman, Jalal & Musa, 2012). (Winer, 2001)

Fragen zum Datenschutz	(Vimala, 2016). Winer (2001)
Metriken	(Wang, 2008). (Tseng & Huang, 2012)
Entscheidende Faktoren, die das CRM beeinflussen (Menschen, Prozesse und Technologie)	(WMG, 2009) (Tjiptono & Gregorius, 2011) (Jobber, 2004)
Kundenanalyse	Kotler (2010). Kotler und Keller (2012) Kocoglu (2012) (Kombo, 2015). (Khrais, 2017).
Theoretischer Rahmen	Winer (2001). Porter (1985) (Acquaah & Yasai-Ardekani, 2008). (Kaplan & Norton, 2000; Jocovic et al., 2014). (Vimala, 2016). (Freeman, 2012). Sachdev und Verma (2004) Salehi, Kheyrmand und Faraghian (2015) Kotler und Keller (2012) (Kothari, 2017). Khodakarami und Chan (2014)
Wachstumsförderung durch Produktdifferenzierung	(Keramati, Apornak, Abedi, Otrodi & Roudneshin, 2018). (Kocoglu, 2012). (Khodakarami & Chan, 2014). (Keramati et al., 2018). (Kaplan & Norton, 2000). (Abu Aliqah, 2012). Kotler (1991) (Kotler, 1999). (Zott et al., 2011; Amoako-Gyampah & Acquaah, 2008; Porter, 1985)
BCG-Matrix	(Hill, 1985). (Zott et al., 2011) Porter (1985). (Slack et al., 2007). (Amoako-Gyampah & Acquaah, 2008).
Produktlebenszyklus	(Freeman, 2012) (Proctor, 2002) (Jobber, 2004), (Javed & Cheema, 2017). (Kotler & Keller, 2012)
SWOT-Analyse	(Heskett, 1976). (Daft, 1988) (Kotler & Keller, 2012). (Zott et al., 2011)
Andere Bereiche der Differenzierung	(Keramati et al., 2018). (Khan, 2020). Slack et al. (2007) Porter (1980).

Operative Exzellenz und Dienstleistungserbringung	Teixeira, Patrıcio, Nunes & Nobrega (2012), Slack et al. (2007) Salim, Setiawan, Rofiaty und Rohman (2018) (Sachdev & Verman, 2004). (Salehi et al., 2015). (Soltani & Navimipour, 2016). (Kotler und Keller, 2012).
Ausfall von Dienstleistungen und Wiederherstellung	Peppers und Rogers (2017) Thakur und Summey (2010) Sharma und Rather (2015).

2.12 Schlussfolgerung

In diesem Kapitel wurden die verschiedenen Literaturstellen zum Thema Kundenbeziehungsmanagement (CRM) untersucht, einschließlich des theoretischen Rahmens dieser Arbeit und der Frage, wie CRM auf Kunden innerhalb einer Organisation angewendet wird. Anschließend wurde das Konzept der Dienstleistungsdifferenzierung und der Dienstleistungswiederherstellung näher betrachtet. Das nächste Kapitel befasst sich mit der Methodik, die bei der Durchführung der Untersuchung angewandt wurde.

KAPITEL DREI
FORSCHUNGSDESIGN UND METHODIK

3.1 Einleitung

In diesem Kapitel soll die in dieser Studie angewandte Forschungsmethodik untersucht werden. Dabei werden das Forschungsdesign, der Stichprobenumfang, die Datenerhebung und die Analysetechniken untersucht.

3.2 Forschungsdesign

Das Forschungsdesign war eine deskriptive Umfrage, die den quantitativen Ansatz für die Datenerhebung nutzte, um Antworten auf die Forschungsfragen zu liefern. Nach Leedy und Ormrod (2016) wird die Umfrageforschung durchgeführt, indem Informationen über die Merkmale, Meinungen, Erfahrungen oder Einstellungen einer oder mehrerer Personengruppen durch das Stellen von Fragen und die tabellarische Erfassung ihrer Antworten gewonnen werden. Ziel ist es, mehr über eine Population zu erfahren, indem eine Stichprobe dieser Population befragt wird. Sie beschreibt den Stand der Dinge, wie er derzeit besteht (Kothari, 2004). Die Umfrage wurde verwendet, um die Informationen zu sammeln, die sich auf die Variablen der Untersuchung konzentrierten und Antworten auf die Forschungsfragen lieferten. Die deskriptive Erhebung wird auch als normative Erhebung bezeichnet.

3.3 Bevölkerung

Nach Kothari (2004) umfasst die Bevölkerung alle Elemente, die in einem beliebigen Bereich der Untersuchung berücksichtigt werden. Dies wird gemeinhin als Grundgesamtheit bezeichnet. Die Grundgesamtheit der Studie umfasst die 6337 Vollzeitbeschäftigten der Zenith Bank sowie die vermögenden Kunden der Bank mit einem jährlichen Kontostand von 20 Milliarden Naira.

Tabelle 3.1 Bevölkerungsverteilung des Personals

Status	**Bevölkerung**
Nachwuchskräfte	5982
Mittlere Führungskräfte	283

Höheres Personal	72
Insgesamt	6337

3.4 Probe und Probenahmetechnik

Für die Studie wurden zwei Stichprobenrahmen verwendet, nämlich die Mitarbeiter und die vermögenden Kunden der Bank mit einem jährlichen Kontostand von 20 Milliarden Naira. Die Stichprobengröße von 362 wurde aus der Zielpopulation von 6337 mit Hilfe eines Stichprobengrößenrechners bei einem Konfidenzniveau von 95 % und einem Konfidenzintervall von 5 ermittelt. Die gesamte Stichprobenpopulation besteht aus Mitarbeitern der Zenith Bank. Im Wesentlichen handelt es sich bei der Stichprobentechnik um eine geschichtete und verhältnismäßige Zufallsstichprobe für die Mitarbeiter, die für die quantitative Datenerhebung und -analyse verwendet wurde.

Tabelle 3.2 Stichprobenverteilung

Status des Personals	Stichprobengröße	Technik der Probenahme	Forschungsinstrument
Leitende Angestellte	72/6337*362=4	Proportionale Probenahme	Fragebogen
Mittleres Management	283/6337*362=16	Proportionale Probenahme	Fragebogen
Nachwuchskräfte	5982/6337*362=342	Proportionale Probenahme	Fragebogen
Hochvermögende Kunden	216	Gezielte Probenahme	Fragebogen
Insgesamt	578		

Mittels Nummernvergabe wurden die verschiedenen Stichprobengrößen entsprechend den Schichten erhoben. Eine Shareware aus dem Internet (www.randmizer.org) wurde verwendet, um die Stichprobe für jede Schicht zufällig auszuwählen. Die Stichprobengröße für vermögende Kunden beträgt 216, die gezielt für die Studie ausgewählt wurden und das Kriterium eines jährlichen Kontostands von 20 Milliarden

Naira erfüllten. Insgesamt wurde für die Studie eine Stichprobe von 578 Personen verwendet.

3.5 Forschungsinstrumente

Die drei verwendeten Forschungsinstrumente wurden vom Forscher speziell entwickelt und für die Befragung der Mitarbeiter und Kunden der Bank zum Thema Kundenbeziehungsmanagement eingesetzt. Für die Mitarbeiterbefragung wurden 19 sorgfältig ausgearbeitete Fragen entworfen, während der Fragebogen für die Kundenbefragung 22 Fragen enthielt. Der Forscher verwendete eine Likert-Skala von eins (1) bis vier (4), um die beiden in dieser Studie verwendeten Fragebögen zu gestalten. Das dritte Instrument wurde aus den Arbeiten von Drotskie (2009) übernommen. Laut Drotskie (2009) hat der Council on Financial Competition (2005:1) ein geeignetes 20-Attribute-Modell für Weltklasse-Retailbanken entwickelt, das sich ideal für das Benchmarking der Kompetenz von Retailbanken eignet. Die Attribute sind Produktentwicklung, Kundenrentabilität, Optimierung der Kanalressourcen, Kundenerlebnis, Kundenkommunikation, Produktkauf, Problemlösung, Kanalplanung, integrierter Mehrkanalvertrieb, kundenorientierter Service, kontinuierliche Serviceverbesserung, Filialstrategie, Kundensegmentierung, Entwicklung der Kundenbeziehung, Markenklarheit, Kundenmanagement, Beziehungsnutzen, kundenorientierter Verkauf, kundenbedarfsorientierter Verkauf und Entwicklung der Vertriebsressourcen. Diese Kunden und Mitarbeiter sind wichtige Stakeholder, deren Meinungen zum Forschungsthema von Bedeutung sind, um nützliche Antworten für die Analyse zu liefern.

Tabelle 3.3 Forschungsfragen und Forschungsinstrumente

Forschungsfragen	Forschungsinstrumente
1) Ermittlung der Ansichten der Mitarbeiter der Zenith Bank über ihre Produkte und die Umsetzung der Kundenbeziehungsstrategie sowie deren Auswirkungen auf das Ertragswachstum	Anhang A - CRM-Fragebogen für Mitarbeiter (CRMQFS)

2) Ermittlung der Ansichten der Kunden der Zenith Bank über ihre Produkte und die Anwendung der Strategie des Kundenbeziehungsmanagements.	Anhang B - CRM-Fragebogen für vermögende Kunden (CRMQFHNWC)
3) Ermittlung der Produkt-/Dienstleistungsunterscheidungsmerkmale, die das Kundenbeziehungsmanagement der Zenith Bank verbessern können?	Fragebogen zu Unterscheidungsmerkmalen für die Erbringung von Dienstleistungen in Banken (DFSDIBQ)

3.6 Gültigkeit des Forschungsinstruments

Das Forschungsinstrument wurde vom Vorgesetzten des Forschers, der die Erhebungselemente überprüfte und das Forschungsinstrument als brauchbar genehmigte, ordnungsgemäß auf Gesichts- und Inhaltsvalidität validiert.

Yin (2003) schlägt vor, dass die Validität der Forschung aus der Perspektive der Augenscheinvalidität und der Inhaltsvalidität betrachtet werden sollte. Diese Ansicht impliziert, dass die Validität der Forschung ihre Integrität bestimmt. Als solche kann sie aufzeigen, inwieweit ein Erfolg erzielt werden kann, wenn eine ähnliche Forschung erneut durchgeführt wird. Das Konzept der Augenscheinvalidität konzentriert sich darauf, wie gut das Forschungsinstrument die gewünschten Ergebnisse des Forschungsverfahrens zu erfüllen scheint (Creswell, 2018).

3.7 Reliabilität des Forschungsinstruments

Die Zuverlässigkeit der Forschung wird als das Ausmaß beschrieben, in dem die Forschung wiederholt werden kann, um ähnliche Forschungsergebnisse zu erzielen (Creswell & Plano, 2018). Yin (2003) schlägt vor, dass die Zuverlässigkeit der Forschung durch mehrere operative Schritte innerhalb des Forschungsprozesses sichergestellt werden kann. In Übereinstimmung mit diesem Gedanken stellte der Forscher die Zuverlässigkeit dieser Forschung durch eine Reihe von Maßnahmen sicher, die Folgendes umfassen:

- Der Forscher erläuterte umfassende Einzelheiten des Forschungsdesigns und des in dieser Studie verwendeten Ansatzes.
- Umfassende Einzelheiten über die in dieser Untersuchung angewandte Stichprobentechnik wurden erläutert.
- Umfassende Details der Datenerhebungs- und Datenanalysemethode, die in dieser Untersuchung verwendet wurde, wurden ausführlich erläutert.
- Eine Pilotstudie wurde durchgeführt, um die Zuverlässigkeit des Forschungsinstruments mit Hilfe geeigneter Korrelationsstatistiken zu ermitteln.
- Zur Ermittlung der Zuverlässigkeit wurde eine Test-Retest-Methode mit Hilfe der Pearson-Produkt-Moment-Korrelationsstatistik verwendet, die einen Korrelationskoeffizienten von
    - r=0,73 für den Fragebogen in Anhang A
    - r=0,81 für den Fragebogen in Anhang B
    - r=0,91 für den Fragebogen in Anhang C

3.8 Datenerhebung

Um die Wirksamkeit des Kundenbeziehungsmanagements in der Zenith Bank zu verstehen, wurden Fragebögen zur Datenerhebung verwendet. Die Daten für die Studie wurden über das interne Postversandsystem der Bank übermittelt. Durch diese Methode wurde sichergestellt, dass der Forscher die Befragten innerhalb kurzer Zeit erreichte. Alle 362 Befragten wurden unter Wahrung der Vertraulichkeit und Anonymität der Befragten in die Stichprobe aufgenommen. Die gesamte Umfrage dauerte vier Wochen.

3.9 Datenanalyse

In dieser Studie wendet der Forscher eine deduktive Forschungsmethode mit einer quantitativen Ausrichtung an. Auf der Grundlage dieses Forschungsansatzes werden Fragebögen eingesetzt, um von den Mitarbeitern der Zenith Bank Daten über den aktuellen Stand des effektiven Kundenbeziehungsmanagements in der Bank zu erhalten. Der Forscher verwendete eine Likert-Skala von eins (1) bis vier (4), um die beiden in dieser Studie verwendeten Fragebögen zu entwerfen. Die Fragebögen wurden erstellt, um Daten von den vermögenden Kunden und Mitarbeitern der Zenith

Bank zu sammeln. Diese Fragebögen wurden auf alle drei in Kapitel eins dieser Arbeit definierten Forschungsziele abgestimmt. Die im Rahmen dieser Untersuchung gesammelten Daten wurden mit Hilfe der Methode der Datentabellierung analysiert. Diese Methode zielt darauf ab, die von den Mitarbeitern und Kunden der Zenith Bank gesammelten Daten in einem Tabellenformat darzustellen, wodurch der Forscher in die Lage versetzt wird, Trends auf der Grundlage der Häufigkeitsverteilung der Befragten zu jeder Frage zu erkennen.

3.10 Pilotstudie

Der Forscher führte eine Pilotstudie durch, um festzustellen, inwieweit die Forschungsziele und Forschungsfragen erreicht bzw. beantwortet werden können. Diese Studie wurde auch durchgeführt, um festzustellen, welche Ressourcen für die Durchführung der Forschungsarbeit erforderlich sind. Mit dieser Pilotstudie sollte festgestellt werden, ob die Forschungsarbeit unter dem Gesichtspunkt des Zeitmanagements durchgeführt werden kann.

Bei der Durchführung dieser Pilotstudie wurde derselbe Fragebogen wie bei der Primärforschung verwendet. Insgesamt wurden zehn (10) Personen ausgewählt, um an der Pilotstudie teilzunehmen. Es ist erwähnenswert, dass die von diesen zehn (10) Personen gesammelten Daten von Mitarbeitern der Bank stammten und nicht zu der für die Hauptstudie verwendeten Population gehörten.
Aufgrund der Ergebnisse der Pilotstudie sah der Forscher die Notwendigkeit, eine vollständige Studie mit einer Gesamtstichprobe von 362 Personen durchzuführen, um ein besseres Verständnis der derzeitigen Situation der Zenith Bank zu erhalten. Das Ergebnis der Pilotstudie zeigte auch, dass die Forschungsfragen beantwortet werden können, wenn eine vollständige Studie mit einer wesentlich größeren Stichprobe durchgeführt wird.

3.11 C hapter Zusammenfassung

In diesem Kapitel wurde die Forschungsmethodik vorgestellt, die zur Erreichung der Forschungsziele dieser Studie angewandt wurde. In dieser Arbeit wird ein quantitativer Forschungsansatz gewählt, um die Objektivität der Forschungsergebnisse zu gewährleisten. Die deskriptive Umfrage wurde als das am besten geeignete Forschungsdesign für diese Studie angesehen. Ein strukturierter Fragebogen wurde verwendet, um Daten von den Mitarbeitern der Zenith Bank zu sammeln, und Themen wurden verwendet, um die Analyse der gesammelten Daten zu strukturieren und zu vereinfachen. Im nächsten Kapitel werden die von den Mitarbeitern der Zenith Bank erhobenen Daten vorgestellt.

VIERTE KAPITEL
ANALYSE DER DATEN

4.1 Einleitung

In diesem Kapitel werden die Daten dargestellt, die durch die Umfrage bei den Mitarbeitern der Zenith Bank gewonnen wurden, um Antworten auf die drei Forschungsfragen zu geben.

- Ermittlung der Ansichten der Mitarbeiter der Zenith Bank über ihre Produkte und die Einführung einer Strategie für das Kundenbeziehungsmanagement sowie deren Auswirkungen auf das Ertragswachstum.
- Ermittlung der Ansichten der Kunden der Zenith Bank über ihre Produkte und die Anwendung der Strategie des Kundenbeziehungsmanagements.
- Welches sind die Produkt-/Dienstleistungsunterscheidungsmerkmale, die das Kundenbeziehungsmanagement der Zenith Bank verbessern können?

4.2 Musterprofil

Die Stichprobengröße der Studie betrug 578, davon 362 für das Personal und 216 für die Kunden. Von den 724 Exemplaren des Fragebogens (362 für CRMQFS und 362 für DFSDIBQ), die an die Mitarbeiter verschickt wurden, kamen nur 345 vollständig ausgefüllt zurück und wurden daher für die Analyse verwendet. Die gesamte Befragungsdauer betrug vier Wochen. Bei den Kunden wurden von 216 Exemplaren des CRMQFHNWC-Fragebogens nur 203 Exemplare vollständig ausgefüllt und somit für die Analyse verwendet. Durch die Befragung konnten umfangreiche Daten über das CRM der Bank gewonnen werden.

4.3 Darstellung der Daten

4.3.1 Antworten auf den CRM-Fragebogen für Mitarbeiter

Forschungsfrage 1: Ermittlung der Ansichten der Mitarbeiter der Zenith Bank über ihre Produkte und die Einführung einer Strategie für das Kundenbeziehungsmanagement sowie deren Auswirkungen auf das Ertragswachstum.

Für die Beantwortung der Forschungsfrage 1 wurde Anhang A - CRM-Fragebogen für Mitarbeiter (CRMQFS) verwendet. Die Antworten stammen von Mitarbeitern der Zenith Bank.

Tabelle 4.1: Ansichten der Mitarbeiter über CRM

n=345

s/n	Themen	Stimme voll und ganz zu	Zustimmen	Nicht einverstanden	Stark ablehnend
1	Die Organisation strebt nach Kundenzufriedenheit	104 30.1%	86 24.9%	90 26.1%	65 18.8%
2	Die Beschwerden der Kunden werden umgehend bearbeitet	75 21.7%	81 23.4%	108 31.3%	81 23.4%
3	Zufriedene Kunden bleiben der Bank treu	104 30.1%	86 24.9%	90 26.1%	65 18.8%
4	Kundenbindung erhöht die Rentabilität	180 52.2%	120 34.8%	45 13%	0
5	Die Mitarbeiter der Zenith Bank verstehen die Bedürfnisse ihrer Kunden perfekt	75 21.7%	81 23.4&	108 31.3%	81 23.4%
6	Die Mitarbeiter der Zenith Bank sind besser in der Lage, auf die Bedürfnisse der Kunden einzugehen.	60 17.4%	94 27.2%	115 32.8%	76 22%
7	Zenith Bank zeigt großes Interesse daran, die Vorlieben ihrer Kunden zu kennen	104 30.1%	86 24.9%	90 26.1%	65 18.8%
8	Die Zenith Bank hat den starken Wunsch, eine geschätzte Beziehung zu ihren Kunden zu pflegen	104 30.1%	86 24.9%	90 26.1%	65 18.8%
9	Kunden verlassen Organisationen mit dem Wunsch, wiederzukommen	75 21.7%	81 23.4%	108 31.3%	81 23.4%

10	Die Kunden empfehlen die Organisation an ihre Geschäftspartner und Bekannten weiter	75 21.7%	81 23.4&	108 31.3%	81 23.4%
11	Die Mitarbeiter sind in der Lage, ein Vertrauensverhältnis zu den Kunden aufzubauen.	60 17.4%	94 27.2%	115 32.8%	76 22%
12	Je zufriedener ein Kunde ist, desto mehr wächst der Umsatz der Bank	180 52.2%	120 34.8%	45 13%	0
13	In der Zenith Bank nehmen die Mitarbeiter das Kundenbeziehungsmanagement ernst	60 17.4%	94 27.2%	115 32.8%	76 22%
14	Die Zenith Bank bietet Stammkunden besondere Anreize und Privilegien.	60 17.4%	94 27.2%	115 32.8%	76 22%
15	Es besteht der starke Wunsch, eine geschätzte Beziehung zu den Kunden zu pflegen	60 17.4%	94 27.2%	115 32.8%	76 22%
16	Zenith Bank setzt auf Produkt-/Dienstleistungsdifferenzierung	60 17.4%	94 27.2%	115 32.8%	76 22%
17	Die derzeitige Marketingstrategie der Zenith Bank ist wirksam	60 17.4%	94 27.2%	115 32.8%	76 22%
18	Der Marketing-Mix ist für die Zenith Bank von entscheidender Bedeutung	75 21.7%	81 23.4&	108 31.3%	81 23.4%
19	Die Zenith Bank hat eine Richtlinie für die Erbringung von Dienstleistungen	60 17.4%	94 27.2%	115 32.8%	76 22%

- Bei der Frage, ob die Organisation nach Kundenzufriedenheit strebt, stimmten 30,1 % der Befragten voll und ganz zu und 24,9 % stimmten zu, während 26,1 % nicht zustimmten und 18,8 % nicht voll und ganz zustimmten.
- Bei der Frage, ob Kundenbeschwerden umgehend bearbeitet werden, stimmten 21,7 % der Befragten voll und ganz zu und 23,4 % stimmten zu, während 31,3 % nicht zustimmten und 23,4 % nicht voll und ganz zustimmten.
- Bei der Frage, ob zufriedene Kunden der Bank treu bleiben und zu Botschaftern des Unternehmens werden, stimmten 30,1 % der Befragten voll und ganz zu und 24,9 % stimmten zu, während 26,1 % nicht zustimmten und 18,8 % nicht voll und ganz zustimmten.
- Bei der Frage, ob die Kundenbindung die Rentabilität erhöht, stimmten 52,2 % der Befragten voll und ganz zu, 34,8 % stimmten zu und nur 13 % stimmten nicht zu.
- Bei der Frage, ob die Mitarbeiter der Zenith Bank die Bedürfnisse ihrer Kunden genau verstehen, stimmten 21,7 % der Befragten voll und ganz zu und 23,4 % stimmten zu, während 31,3 % nicht zustimmten und 23,4 % nicht voll und ganz zustimmten.
- Angaben darüber, ob Mitarbeiter von Zenith
- 17,4 % der Befragten stimmten voll und ganz zu, 27,2 % stimmten zu, 32,8 % stimmten nicht zu und 22 % stimmten überhaupt nicht zu.
- Bei der Frage, ob die Zenith Bank großes Interesse daran hat, die Kundenpräferenzen zu kennen und effektiv mit den Kunden zu kommunizieren, stimmten 30,1 % der Befragten voll und ganz zu und 24,9 % stimmten zu, während 26,1 % nicht zustimmten und 18,8 % nicht voll und ganz zustimmten.
- Die Daten zur Frage, ob die Zenith Bank ein starkes Interesse daran hat, eine geschätzte Beziehung zu ihren Kunden aufrechtzuerhalten, ergaben, dass 30,1 % der Befragten voll und ganz zustimmten und 24,9 % zustimmten, während 26,1 % nicht zustimmten und 18,8 % nicht voll und ganz zustimmten.
- Bei der Frage, ob die Kunden das Unternehmen mit dem Wunsch verlassen, wiederzukommen, stimmten 21,7 % der Befragten voll und ganz zu und 23,4 % stimmten zu, während 31,3 % nicht zustimmten und 23,4 % voll und ganz ablehnten.
- Bei der Frage, ob die Kunden das Unternehmen an andere Geschäftspartner und Bekannte weiterempfehlen, stimmten 21,7 % der Befragten voll und ganz zu und 23,4 % stimmten zu, während 31,3 % nicht zustimmten und 23,4 % nicht voll und ganz zustimmten.
- Bei der Frage, ob die Mitarbeiter in der Lage sind, ein Vertrauensverhältnis zu den Kunden aufzubauen, stimmten 17,4 % der Befragten voll und ganz zu und 27,2 % stimmten zu, während 32,8 % nicht zustimmten und 22 % nicht voll und ganz zustimmten.
- Die Daten zu der Frage, ob die Einnahmen der Bank umso mehr steigen, je zufriedener die Kunden sind, ergaben, dass 52,2 % der Befragten voll und ganz zustimmten und 34,8 % zustimmten, während nur 13 % nicht zustimmten.

- Die Daten zu der Frage, ob die Mitarbeiter der Zenith Bank das Kundenbeziehungsmanagement ernst nehmen, ergaben, dass 17,4 % der Befragten voll und ganz zustimmten und 27,2 % zustimmten, während 32,8 % nicht zustimmten und 22 % nicht voll und ganz zustimmten.
- Bei der Frage, ob die Zenith Bank Stammkunden besondere Anreize/Vorteile gewährt, stimmten 17,4 % der Befragten voll und ganz zu und 27,2 % stimmten zu, während 32,8 % nicht zustimmten und 22 % nicht voll und ganz zustimmten.
- Die Daten zur Frage, ob ein starker Wunsch besteht, eine geschätzte Beziehung zu den Kunden aufrechtzuerhalten, ergaben, dass 17,4 % der Befragten voll und ganz zustimmten und 27,2 % zustimmten, während 32,8 % nicht zustimmten und 22 % nicht voll und ganz zustimmten.
- Die Daten zur Frage, ob die Zenith Bank eine Produkt-/Dienstleistungsdifferenzierung vornimmt, ergaben, dass 17,4 % der Befragten voll und ganz zustimmten und 27,2 % zustimmten, während 32,8 % nicht zustimmten und 22 % nicht voll und ganz zustimmten.
- Bei der Frage, ob die derzeitige Marketingstrategie der Zenith Bank wirksam ist, stimmten 17,4 % der Befragten voll und ganz zu und 27,2 % stimmten zu, während 32,8 % nicht zustimmten und 22 % nicht voll und ganz zustimmten.
- Die Daten zu der Frage, ob der Marketing-Mix für die Zenith Bank von entscheidender Bedeutung ist, ergaben, dass 21,7 % der Befragten voll und ganz zustimmten und 23,4 % zustimmten, während 31,3 % nicht zustimmten und 23,4 % nicht voll und ganz zustimmten.
- Die Daten zur Frage, ob die Zenith Bank über eine Richtlinie für die Erbringung von Dienstleistungen verfügt, ergaben, dass 17,4 % der Befragten voll und ganz zustimmten und 27,2 % zustimmten, während 32,8 % nicht zustimmten und 22 % voll und ganz ablehnten.

4.3.2 Antworten auf den CRM-Kundenfragebogen

Forschungsfrage 2: Wie stehen die Kunden der Zenith Bank zu ihren Produkten und der Anwendung der Kundenbeziehungsmanagementstrategie?

Für die Beantwortung der Forschungsfrage 2 wurde Anhang B - CRM-Fragebogen für vermögende Kunden (CRMQFHNWC) verwendet. Die Antworten stammen von Kunden der Zenith Bank.

Tabelle 4.2: Kundenmeinungen zu CRM

n=203

s/n	Artikel	Starke Zustimmung	Zustimmen	Nicht einverstanden	Stark ablehnend
1	Mitarbeiter, die Probleme der Kunden gut lösen	45 22.1%	55 27.1%	65 32%	38 18.7%
2	Ein freundliches Auftreten haben	40 19.7%	55 27.1%	70 34.4%	38 18.7%
3	Ein zugängliches Auftreten	42 20.6%	50 24.6%	56 27.5%	55 27.1%
4	Effiziente Bedienung der Warteschlange zu diesem Zeitpunkt, um einen kontinuierlichen Ablauf zu gewährleisten	38 18.7%	65 32%	61 30%	39 19.2%
5	Gepflegtes und professionelles persönliches Auftreten	45 22.1%	55 27.1%	65 32%	38 18.7%
6	Gepflegtes persönliches Erscheinungsbild	40 19.7%	55 27.1%	70 34.4%	38 18.7%
7	Gepflegtes und professionelles Auftreten	42 20.6%	50 24.6%	56 27.5%	55 27.1%
8	leichte Erreichbarkeit, d. h. leichte Erreichbarkeit	38 18.7%	65 32%	61 30%	39 19.2%
9	Sprechen mit den Kunden in einer Sprache, die sie verstehen können	45 22.1%	55 27.1%	65 32%	38 18.7%
10	Verwendung einer klaren und verständlichen Sprache	40 19.7%	55 27.1%	70 34.4%	38 18.7%
11	Verwendung einer leicht verständlichen Sprache	42 20.6%	50 24.6%	56 27.5%	55 27.1%
12	Einen respektvollen Umgang pflegen	38 18.7%	65 32%	61 30%	39 19.2%

13	ein freundliches Auftreten haben	45 22.1%	55 27.1%	65 32%	38 18.7%
14	Bereitschaft, den Kunden zu helfen	40 19.7%	55 27.1%	70 34.4%	38 18.7%
15	Ihre Transaktion schnell, d.h. ohne Verzögerung, abzuschließen	42 20.6%	50 24.6%	56 27.5%	55 27.1%
16	Ihre Transaktion korrekt abschließen, d. h. gleich beim ersten Mal	38 18.7%	65 32%	61 30%	39 19.2%
17	Verständnis für die finanziellen Bedürfnisse der Kunden zeigen	45 22.1%	55 27.1%	65 32%	38 18.7%
18	Geschicklichkeit beim Ausfüllen Ihrer Anfrage beweisen	40 19.7%	55 27.1%	70 34.4%	38 18.7%
19	Geschicklichkeit beim Abschluss Ihrer Transaktion beweisen	42 20.6%	50 24.6%	56 27.5%	55 27.1%
20	Bereitstellung von nützlichen Informationen im Zusammenhang mit Ihrer Anfrage	38 18.7%	65 32%	61 30%	39 19.2%
21	Bereitstellung von vorteilhaften Informationen zu Ihrer Transaktion	45 22.1%	55 27.1%	65 32%	38 18.7%
22	Die Extrameile gehen, um dem Kunden zu helfen	40 19.7%	55 27.1%	70 34.4%	38 18.7%
23	Den Kunden als einzigartiges Individuum behandeln	42 20.6%	50 24.6%	56 27.5%	55 27.1%

- Bei der Frage, ob das Personal die Probleme der Kunden gut lösen kann, stimmten 22,1 % der Befragten voll und ganz zu und 27,1 % stimmten zu, während 32 % nicht zustimmten und 18,7 % nicht voll und ganz zustimmten.

- Bei der Frage, ob das Personal ein freundliches Auftreten hat, stimmten 19,7 % der Befragten voll und ganz zu und 27,1 % stimmten zu, während 34,4 % nicht zustimmten und 18,7 % nicht voll und ganz zustimmten.
- Bei der Frage, ob das Personal ansprechbar ist, stimmten 20,6 % der Befragten voll und ganz zu und 24,6 % stimmten zu, während 27,5 % nicht zustimmten und 27,1 % nicht voll und ganz zustimmten.
- Die Daten zur Frage, ob die Warteschlange zu dem Zeitpunkt effektiv bedient wurde, um sicherzustellen, dass sie sich stetig bewegte, ergaben, dass 18,7 % der Befragten voll und ganz zustimmten und 32 % zustimmten, während 30 % nicht zustimmten und 19,2 % nicht voll und ganz zustimmten.
- Die Daten zur Frage, ob man ein gepflegtes und professionelles Auftreten hat, ergaben, dass 22,1 % der Befragten voll und ganz zustimmten und 27,1 % zustimmten, während 32 % nicht zustimmten und 18,7 % nicht voll und ganz zustimmten.
- Bei der Frage, ob sie ein gepflegtes Äußeres haben, stimmten 19,7 % der Befragten voll und ganz zu und 27,1 % stimmten zu, während 34,4 % nicht zustimmten und 18,7 % nicht voll und ganz zustimmten.
- Bei der Frage, ob sie ein gepflegtes und professionelles Erscheinungsbild haben, stimmten 20,6 % der Befragten voll und ganz zu und 24,6 % stimmten zu, während 27,5 % nicht zustimmten und 27,1 % nicht voll und ganz zustimmten.
- Die Angaben zur leichten Erreichbarkeit, d. h. zur leichten Erreichbarkeit, ergaben, dass 18,7 % der Befragten voll und ganz zustimmten und 32 % zustimmten, während 30 % nicht zustimmten und 19,2 % nicht voll und ganz zustimmten.
- Bei der Frage, ob mit Ihnen in einer Sprache gesprochen wird, die Sie verstehen, stimmten 22,1 % der Befragten voll und ganz zu und 27,1 % stimmten zu, während 32 % nicht zustimmten und 18,7 % voll und ganz ablehnten.
- Bei der Frage, ob eine verständliche Sprache verwendet wird, stimmten 19,7 % der Befragten voll und ganz zu und 27,1 % stimmten zu, während 34,4 % nicht zustimmten und 18,7 % nicht voll und ganz zustimmten.
- Bei der Frage, ob eine leicht verständliche Sprache verwendet wird, stimmten 20,6 % der Befragten voll und ganz zu und 24,6 % stimmten zu, während 27,5 % nicht zustimmten und 27,1 % nicht voll und ganz zustimmten.
- Die Daten zur Frage, ob ein respektvoller Umgangston vorhanden ist, ergaben, dass 18,7 % der Befragten stark zustimmten und 32 % zustimmten, während 30 % nicht zustimmten und 19,2 % stark ablehnten.
- Bei der Frage, ob ein freundliches Auftreten vorliegt, stimmten 22,1 % der Befragten voll und ganz zu und 27,1 % stimmten zu, während 32 % nicht zustimmten und 18,7 % nicht voll und ganz zustimmten.
- Bei der Frage, ob sie bereit sind, Sie zu unterstützen, stimmten 19,7 % der Befragten voll und ganz zu und 27,1 % stimmten zu, während 34,4 % nicht zustimmten und 18,7 % nicht voll und ganz zustimmten.

- Bei der Frage, ob die Transaktion schnell, d. h. ohne Verzögerung, abgeschlossen werden kann, stimmten 20,6 % der Befragten voll und ganz zu und 24,6 % stimmten zu, während 27,5 % nicht zustimmten und 27,1 % nicht voll und ganz zustimmten.
- Bei der Frage, ob Sie Ihre Transaktion korrekt, d. h. gleich beim ersten Mal, abschließen, stimmten 18,7 % der Befragten voll und ganz zu und 32 % stimmten zu, während 30 % nicht zustimmten und 19,2 % nicht voll und ganz zustimmten.
- Bei der Frage, ob Sie Ihre finanziellen Bedürfnisse kennen, stimmten 22,1 % der Befragten voll und ganz zu, 27,1 % stimmten zu, 32 % stimmten nicht zu und 18,7 % stimmten überhaupt nicht zu.
- Die Daten zu der Frage, ob Sie bei der Durchführung Ihrer Nachforschungen Geschicklichkeit beweisen, ergaben, dass 19,7 % der Befragten voll und ganz zustimmten und 27,1 % zustimmten, während 34,4 % nicht zustimmten und 18,7 % nicht voll und ganz zustimmten.
- Bei der Frage, ob man bei der Abwicklung des Geschäfts Geschicklichkeit zeigen sollte, stimmten 20,6 % der Befragten voll und ganz zu und 24,6 % stimmten zu, während 27,5 % nicht zustimmten und 27,1 % nicht voll und ganz zustimmten.
- Bei der Frage, ob die Bereitstellung von Informationen im Zusammenhang mit Ihrer Anfrage von Nutzen ist, stimmten 18,7 % der Befragten voll und ganz zu und 32 % stimmten zu, während 30 % nicht zustimmten und 19,2 % nicht voll und ganz zustimmten.
- Bei der Frage, ob die Bereitstellung von Informationen über Ihre Transaktion vorteilhaft ist, stimmten 22,1 % der Befragten voll und ganz zu und 27,1 % stimmten zu, während 32 % nicht zustimmten und 18,7 % nicht voll und ganz zustimmten.
- Die Daten zu der Frage, ob man die Extrameile geht, um dem Kunden zu helfen, ergaben, dass 19,7 % der Befragten voll und ganz zustimmten und 27,1 % zustimmten, während 34,4 % nicht zustimmten und 18,7 % nicht voll und ganz zustimmten.
- Bei der Frage, ob der Kunde als einzigartiges Individuum behandelt wird, stimmten 20,6 % der Befragten voll und ganz zu und 24,6 % stimmten zu, während 27,5 % nicht zustimmten und 27,1 % nicht voll und ganz zustimmten.

4.3.3 **Antworten auf den CRM-Fragebogen "Differenzierungsmerkmale**

Forschungsfrage 3: Was sind die Produkt-/Dienstleistungsunterscheidungsmerkmale, die das Kundenbeziehungsmanagement der Zenith Bank verbessern können?

Für die Beantwortung der Forschungsfrage 3 wurde Anhang C - Differentiators for Service Delivery in Banks Questionnaire (DFSDIBQ) verwendet. Die Antworten stammen von Mitarbeitern der Zenith Bank.

Tabelle 4.2: Unterscheidungsmerkmale für Dienstleistungen

n=345

s/n	Artikel	Stimme voll und ganz zu	Zustimmen	Nicht einverstanden	Stark ablehnend
1	Großartige Produktentwicklung	160 46.4%	110 31.9%	45 13%	30 8.7%
2	Hohe Kundenprofitabilität	75 22.6%	81 23.5%	108 31.3%	81 23.5%
3	Großartige Optimierung der Kanalressourcen	60 17.4%	94 27.2%	115 33.3%	76 22%
4	Großartige Kundenerfahrung	104 30.1%	86 24.9%	90 26.1%	65 18.8%
5	Großartige Kundenkommunikation	160 46.4%	110 31.9%	45 13%	30 8.7%
6	Großartiger Produktkauf	75 22.6%	81 23.5%	108 31.3%	81 23.5%
7	Großartige Problemlösung	60 17.4%	94 27.2%	115 33.3%	76 22%
8	Großartige Kanalplanung	104 30.1%	86 24.9%	90 26.1%	65 18.8%
9	Großartiger integrierter Mehrkanalvertrieb	160 46.4%	110 31.9%	45 13%	30 8.7%
10	Großartiger kundenorientierter Service	75 22.6%	81 23.5%	108 31.3%	81 23.5%
11	Großartig Kontinuierliche Verbesserung der Dienstleistungen	60 17.4%	94 27.2%	115 33.3%	76 22%
12	Großartige Branchenstrategie	104 30.1%	86 24.9%	90 26.1%	65 18.8%

13	Großartige Kundensegmentierung	160 46.4%	110 31.9%	45 13%	30 8.7%
14	Großartige Entwicklung von Kundenbeziehungen	75 22.6%	81 23.5%	108 31.3%	81 23.5%
15	Große Markenklarheit	60 17.4%	94 27.2%	115 33.3%	76 22%
16	Großartiges Kundenmanagement	104 30.1%	86 24.9%	90 26.1%	65 18.8%
17	Großer Nutzen für die Beziehung	160 46.4%	110 31.9%	45 13%	30 8.7%
18	Großer kundenorientierter Verkauf	75 22.6%	81 23.5%	108 31.3%	81 23.5%
19	Großer kundenorientierter Verkauf	60 17.4%	94 27.2%	115 33.3%	76 22%
20	Großartige Entwicklung der Vertriebsressourcen	104 30.1%	86 24.9%	90 26.1%	65 18.8%

- Die Daten zu der Frage, ob eine gute Produktentwicklung ein Unterscheidungsmerkmal für Dienstleistungen ist, ergaben, dass 46,4 % der Befragten voll und ganz zustimmten und 31,9 % zustimmten, während 13 % nicht zustimmten und 8,9 % nicht voll und ganz zustimmten.
- Bei der Frage, ob eine hohe Kundenrentabilität ein Unterscheidungsmerkmal für Dienstleistungen ist, stimmten 22,6 % der Befragten voll und ganz zu und 23,5 % stimmten zu, während 31,3 % nicht zustimmten und 23,5 % nicht voll und ganz zustimmten.
- Die Daten zu der Frage, ob die Optimierung der Kanalressourcen ein Unterscheidungsmerkmal für den Service ist, ergaben, dass 17,4 % der Befragten voll und ganz zustimmten und 27,2 % zustimmten, während 33,3 % nicht zustimmten und 22 % voll und ganz nicht zustimmten.
- Bei der Frage, ob ein gutes Kundenerlebnis ein Unterscheidungsmerkmal für den Service ist, stimmten 30,1 % der Befragten voll und ganz zu und 24,9 % stimmten zu, während 26,1 % nicht zustimmten und 18,8 % nicht voll und ganz zustimmten.

- Bei der Frage, ob eine gute Kundenkommunikation ein Unterscheidungsmerkmal für den Service ist, stimmten 46,4 % der Befragten voll und ganz zu und 31,9 % stimmten zu, während 13 % nicht zustimmten und 8,9 % nicht voll und ganz zustimmten.
- Bei der Frage, ob der Kauf eines großartigen Produkts ein Unterscheidungsmerkmal für den Service ist, stimmten 22,6 % der Befragten voll und ganz zu und 23,5 % stimmten zu, während 31,3 % nicht zustimmten und 23,5 % nicht voll und ganz zustimmten.
- Bei der Frage, ob eine gute Problemlösung ein Unterscheidungsmerkmal für den Service ist, stimmten 17,4 % der Befragten voll und ganz zu und 27,2 % stimmten zu, während 33,3 % nicht zustimmten und 22 % nicht voll und ganz zustimmten.
- Bei der Frage, ob eine gute Planung der Vertriebskanäle ein Unterscheidungsmerkmal für den Service darstellt, stimmten 30,1 % der Befragten voll und ganz zu und 24,9 % stimmten zu, während 26,1 % nicht zustimmten und 18,8 % nicht voll und ganz zustimmten.
- Bei der Frage, ob ein großartiger integrierter Mehrkanalvertrieb ein Unterscheidungsmerkmal für den Service darstellt, stimmten 46,4 % der Befragten voll und ganz zu und 31,9 % stimmten zu, während 13 % nicht zustimmten und 8,9 % nicht voll und ganz zustimmten.
- Bei der Frage, ob ein guter kundenorientierter Service ein Unterscheidungsmerkmal ist, stimmten 22,6 % der Befragten voll und ganz zu und 23,5 % stimmten zu, während 31,3 % nicht zustimmten und 23,5 % nicht voll und ganz zustimmten.
- Bei der Frage, ob die kontinuierliche Verbesserung von Dienstleistungen ein Unterscheidungsmerkmal ist, stimmten 17,4 % der Befragten voll und ganz zu und 27,2 % stimmten zu, während 33,3 % nicht zustimmten und 22 % nicht voll und ganz zustimmten.
- Die Daten zur Frage, ob eine großartige Filialstrategie ein Unterscheidungsmerkmal für den Service ist, ergaben, dass 30,1 % der Befragten voll und ganz zustimmten und 24,9 % zustimmten, während 26,1 % nicht zustimmten und 18,8 % nicht voll und ganz zustimmten.
- Die Daten zu der Frage, ob eine gute Kundensegmentierung ein Unterscheidungsmerkmal für den Service ist, ergaben, dass 46,4 % der Befragten stark zustimmten und 31,9 % zustimmten, während 13 % nicht zustimmten und 8,9 % stark zustimmten.
- Die Daten zu der Frage, ob eine gute Entwicklung der Kundenbeziehungen ein Unterscheidungsmerkmal für den Service ist, ergaben, dass 22,6 % der Befragten voll und ganz zustimmten und 23,5 % zustimmten, während 31,3 % nicht zustimmten und 23,5 % nicht voll und ganz zustimmten.
- Die Daten zur Frage, ob eine große Markenklarheit ein Unterscheidungsmerkmal für Dienstleistungen ist, ergaben, dass 17,4 % der Befragten voll und ganz

zustimmten und 27,2 % zustimmten, während 33,3 % nicht zustimmten und 22 % voll und ganz ablehnten.

- Die Daten zu der Frage, ob ein gutes Kundenmanagement ein Unterscheidungsmerkmal für Dienstleistungen ist, ergaben, dass 30,1 % der Befragten voll und ganz zustimmten und 24,9 % zustimmten, während 26,1 % nicht zustimmten und 18,8 % nicht voll und ganz zustimmten.
- Die Daten zu der Frage, ob ein großer Beziehungsnutzen ein Unterscheidungsmerkmal für Dienstleistungen ist, ergaben, dass 46,4 % der Befragten voll und ganz zustimmten und 31,9 % zustimmten, während 13 % nicht zustimmten und 8,9 % nicht voll und ganz zustimmten.
- Die Daten zu der Frage, ob ein stark kundenorientierter Verkauf ein Unterscheidungsmerkmal für den Service ist, ergaben, dass 22,6 % der Befragten voll und ganz zustimmten und 23,5 % zustimmten, während 31,3 % nicht zustimmten und 23,5 % nicht voll und ganz zustimmten.
- Die Daten zu der Frage, ob ein stark an den Kundenbedürfnissen orientierter Verkauf ein Unterscheidungsmerkmal für den Service ist, ergaben, dass 17,4 % der Befragten voll und ganz zustimmten und 27,2 % zustimmten, während 33,3 % nicht zustimmten und 22 % voll und ganz ablehnten.
- Die Daten zur Frage, ob die Entwicklung von Vertriebsressourcen ein Unterscheidungsmerkmal für Dienstleistungen ist, ergaben, dass 30,1 % der Befragten voll und ganz zustimmten und 24,9 % zustimmten, während 26,1 % nicht zustimmten und 18,8 % nicht voll und ganz zustimmten.

4.4 Zusammenfassung der Ergebnisse

Forschungsfrage 1: Ermittlung der Ansichten der Mitarbeiter der Zenith Bank über ihre Produkte und die Einführung einer Strategie für das Kundenbeziehungsmanagement sowie deren Auswirkungen auf das Ertragswachstum

- Die Mehrheit der Befragten stimmte zu, dass die Organisation nach Kundenzufriedenheit strebt.
- Eine Minderheit der Befragten stimmte zu, dass die Beschwerden der Kunden umgehend bearbeitet werden.
- Die Mehrheit der Befragten stimmte zu, dass zufriedene Kunden bei der Bank bleiben und zu Botschaftern des Unternehmens werden.
- Die Mehrheit der Befragten stimmte zu, dass die Kundenbindung die Rentabilität erhöht.
- Eine Minderheit der Befragten stimmte zu, dass die Mitarbeiter der Zenith Bank die Bedürfnisse der Kunden verstehen.
- Eine Minderheit der Befragten stimmte zu, dass die Mitarbeiter der Zenith Bank besser befähigt sind, auf die Bedürfnisse der Kunden einzugehen.

- Die Mehrheit der Befragten stimmte zu, dass die Zenith Bank großes Interesse daran zeigt, die Präferenzen ihrer Kunden zu kennen und effektiv mit ihnen zu kommunizieren.
- Die Mehrheit der Befragten stimmte zu, dass die Zenith Bank ein starkes Interesse daran hat, eine geschätzte Beziehung zu ihren Kunden zu pflegen.
- Eine Minderheit der Befragten stimmte zu, dass Kunden Organisationen mit dem Wunsch verlassen, wiederzukommen.
- Eine Minderheit der Befragten stimmte zu, dass die Kunden das Unternehmen an andere Geschäftspartner und Bekannte weiterempfehlen.
- Die Mehrheit der Befragten stimmte zu, dass die Mitarbeiter in der Lage sind, ein Vertrauensverhältnis zu den Kunden aufzubauen.
- Die Mehrheit der Befragten stimmte zu, dass die Einnahmen der Bank umso höher sind, je zufriedener der Kunde ist.
- Eine Minderheit der Befragten stimmte zu, dass die Mitarbeiter der Zenith Bank das Kundenbeziehungsmanagement ernst nehmen.
- Eine Minderheit der Befragten stimmte zu, dass die Zenith Bank Stammkunden besondere Anreize/Privilegien gewährt.
- Eine Minderheit der Befragten stimmte zu, dass es einen starken Wunsch gibt, eine geschätzte Beziehung zu den Kunden zu pflegen.
- Eine Minderheit der Befragten stimmte zu, dass die Zenith Bank eine Produkt-/Dienstleistungsdifferenzierung vornimmt.
- Eine Minderheit der Befragten stimmte zu, dass die derzeitige Marketingstrategie der Zenith Bank effektiv ist.
- Eine Minderheit der Befragten stimmte zu, dass der Marketing-Mix für die Zenith Bank von entscheidender Bedeutung ist.
- Eine Minderheit der Befragten stimmte zu, dass die Zenith Bank eine Richtlinie für die Erbringung von Dienstleistungen hat.

Forschungsfrage 2: Ermittlung der Ansichten der Kunden der Zenith Bank über ihre Produkte und die Anwendung der Strategie des Kundenbeziehungsmanagements

- Die Befragten waren sich einig, dass die Mitarbeiter gut darin sind, die Probleme der Kunden zu lösen.
- Eine Minderheit der Befragten stimmte zu, dass das Personal ein freundliches Auftreten hat.
- Eine Minderheit der Befragten stimmte zu, dass die Mitarbeiter ein freundliches Auftreten haben.
- Die Befragten waren sogar der Meinung, dass das Personal die Warteschlange effektiv bedient, um sicherzustellen, dass sie sich gleichmäßig bewegt.
- Die Befragten gaben sogar an, ob die Mitarbeiter ein gepflegtes und professionelles Erscheinungsbild haben.
- Die Befragten gaben sogar an, dass die Mitarbeiter ein gepflegtes Äußeres haben.

- Die Befragten waren sogar der Meinung, dass die Mitarbeiter ein gepflegtes und professionelles Erscheinungsbild haben.
- Die Befragten waren sogar der Meinung, dass die Mitarbeiter leicht erreichbar sind, d.h. dass man sie leicht erreichen kann.
- Die Befragten wollten auch wissen, ob das Personal mit den Kunden in einer Sprache spricht, die sie verstehen können.
- Die Befragten waren sogar der Meinung, dass das Personal eine klare und verständliche Sprache verwendet.
- Eine Minderheit der Befragten stimmte zu, dass das Personal eine leicht verständliche Sprache verwendet.
- Die Befragten waren sich einig, dass das Personal einen respektvollen Umgang pflegt.
- Die Befragten gaben sogar an, ob das Personal freundlich ist.
- Die Befragten gaben sogar an, ob das Personal bereit ist, Ihnen zu helfen.
- Eine Minderheit der Befragten stimmte zu, dass das Personal die Vorgänge schnell abwickelt.
- Die Befragten gaben sogar an, dass die Mitarbeiter die Transaktionen korrekt abwickeln.
- Die Befragten waren sich einig darüber, ob die Mitarbeiter ein Verständnis für ihre finanziellen Bedürfnisse haben.
- Die Befragten waren sogar der Meinung, dass die Mitarbeiter bei der Erledigung ihrer Anfragen Geschick beweisen.
- Die einfache Mehrheit der Befragten stimmte zu, dass die Mitarbeiter bei der Abwicklung ihrer Geschäfte Kompetenz zeigen.
- Die einfache Mehrheit der Befragten stimmte zu, dass die Bereitstellung von nützlichen Informationen im Zusammenhang mit ihren Anfragen.
- Die Befragten gaben sogar an, ob die Mitarbeiter nützliche Informationen über ihre Transaktionen bereitstellen.
- Die Befragten gaben sogar an, ob das Personal die Extrameile geht, um den Kunden zu helfen.
- Eine Minderheit der Befragten stimmte zu, dass Kunden als einzigartig behandelt werden.

Forschungsfrage 3: Ermittlung der Produkt-/Dienstleistungsunterscheidungsmerkmale, die das Kundenbeziehungsmanagement der Zenith Bank verbessern können.

- Die Mehrheit der Befragten stimmte zu, dass eine gute Produktentwicklung ein Unterscheidungsmerkmal für Dienstleistungen ist.
- Die Mehrheit der Befragten stimmte zu, dass eine hohe Kundenrentabilität ein Unterscheidungsmerkmal für Dienstleistungen ist.

- Die Mehrheit der Befragten stimmte zu, dass eine gute Optimierung der Kanalressourcen ein Unterscheidungsmerkmal für den Service ist.
- Die Mehrheit der Befragten stimmte zu, dass ein großartiges Kundenerlebnis ein Unterscheidungsmerkmal für Dienstleistungen ist.
- Die Mehrheit der Befragten stimmte zu, dass eine gute Kundenkommunikation ein Unterscheidungsmerkmal im Service ist.
- Eine Minderheit der Befragten stimmte zu, dass der Kauf eines guten Produkts ein Unterscheidungsmerkmal für den Service ist.
- Eine Minderheit der Befragten stimmte zu, dass eine gute Problemlösung ein Unterscheidungsmerkmal für den Service ist.
- Die Mehrheit der Befragten stimmte zu, dass eine gute Kanalplanung ein Unterscheidungsmerkmal für den Service ist.
- Die Mehrheit der Befragten stimmte zu, dass ein großartiger integrierter Multikanalvertrieb ein Unterscheidungsmerkmal für Dienstleistungen ist.
- Eine Minderheit der Befragten stimmte zu, dass ein großartiger kundenorientierter Service ein Unterscheidungsmerkmal für Dienstleistungen ist.
- Eine Minderheit der Befragten stimmte zu, dass eine große kontinuierliche Verbesserung der Dienstleistungen ein Unterscheidungsmerkmal ist.
- Die Mehrheit der Befragten stimmte zu, dass eine gute Filialstrategie ein Unterscheidungsmerkmal im Service ist.
- Die Mehrheit der Befragten stimmte zu, dass eine gute Kundensegmentierung ein Unterscheidungsmerkmal für Dienstleistungen ist.
- Eine Minderheit der Befragten stimmte zu, dass eine gute Entwicklung der Kundenbeziehungen ein Unterscheidungsmerkmal der Dienstleistung ist.
- Eine Minderheit der Befragten stimmte zu, dass eine große Markenklarheit ein Unterscheidungsmerkmal für Dienstleistungen ist.
- Die Mehrheit der Befragten stimmte zu, dass ein gutes Kundenmanagement ein Unterscheidungsmerkmal für Dienstleistungen ist.
- Die Mehrheit der Befragten stimmte zu, dass ein großer Beziehungsnutzen ein Unterscheidungsmerkmal für Dienstleistungen ist.
- Eine Minderheit der Befragten stimmte zu, dass ein großartiger kundenorientierter Verkauf ein Unterscheidungsmerkmal im Service ist.
- Eine Minderheit der Befragten stimmte zu, dass ein guter, an den Kundenbedürfnissen orientierter Verkauf ein Unterscheidungsmerkmal für den Service ist.
- Die Mehrheit der Befragten stimmte zu, dass eine gute Entwicklung der Vertriebsressourcen ein Unterscheidungsmerkmal für den Service ist.

4.5 Diskussion der Ergebnisse

Kundenbeziehungsmanagement (CRM)

CRM basiert auf der Optimierung des Wertes, der den Kunden geliefert und von ihnen erzielt wird, und auf der Verbesserung und Automatisierung der Unternehmensprozesse in den Bereichen Vertrieb, Kundendienst, Marketing und Support (Adiyanto, 2021). Angesichts des zunehmenden Wettbewerbs um die Marktführerschaft und -dominanz haben viele Unternehmen CRM-Systeme eingesetzt, um ihre Geschäftsinformationen, Entscheidungsfindung, Kundenbeziehungen, Produktangebote und Dienstleistungsqualität zu verbessern. Ein kundenorientiertes Management wird häufig durch die Befriedigung und Identifizierung von Kundenbedürfnissen untermauert, was wiederum zu einer verbesserten Kundenbindung führt, die auf der Rentabilität des Unternehmens beruht (Butt, 2021). Das rasante Wachstum der Informations- und Kommunikationstechnologie bietet den Unternehmen von heute mehr Möglichkeiten als je zuvor, langfristige Beziehungen zu ihren Kunden aufzubauen, zu pflegen und sogar aufrechtzuerhalten, und CRM muss perfekt auf die sich ständig ändernden Anforderungen der Kunden auf der Grundlage integrierter und zuverlässiger Kundeninformationen abgestimmt werden (Cavallone & Modina, 2013). Frühere Untersuchungen haben gezeigt, dass CRM dem Unternehmen operative, analytische und richtungsweisende Fähigkeiten bietet. Die analytischen Fähigkeiten beschleunigen die Rentabilitätsmaximierung aus der Kundenbeziehung (Choudhury & Harrigan, 2014). Die operativen Fähigkeiten beeinflussen die Richtung des Kundenwertschöpfungsprozesses, hängen von den strategischen Fähigkeiten ab und spiegeln die Wirksamkeit der langfristigen Zusammenarbeit und der organisatorischen Werte wider. Funktionales CRM beinhaltet die Analyse eines geeigneten und replizierbaren Geschäfts, und analytisches CRM bezieht sich auf die Prozesse auf Unternehmensebene, die mit der Analyse der Kunden und des Marktes verbunden sind.

Kundenorientierung

Abgesehen von den Umwelt- und Organisationsfaktoren hängt der Erfolg von CRM von einer kundenorientierten Strategie ab, die in der Regel durch eine Umgestaltung der aktuellen Kundeninteraktionsprozesse und manchmal durch die Entwicklung völlig neuer Prozesse umgesetzt wird (Jocovic et al., 2014). Kundenorientierung bezieht sich auf das Engagement einer Organisation, die Bedenken der Kunden hinsichtlich der Qualität und Pünktlichkeit ihrer Bestellungen zu erkennen und zu befriedigen und ihre Anforderungen an neue Produkte und Dienstleistungen zu erfüllen (Dadzie, 2017). Aus der Perspektive des Kundenlebenszyklus stellt eine Organisation den Kunden in den Mittelpunkt der Unternehmenstätigkeit. Diese wesentliche Dreh- und Angelpunktposition des Kunden legt nahe, dass die besten Interessen aller Teilnehmer (sowohl intern als auch extern) am Austauschprozess gewahrt werden, wenn der Schwerpunkt auf der Erfüllung der Bedürfnisse und Wünsche des Kunden liegt. Wissensmanagement ist eine Voraussetzung für E-Business und seine zunehmende Kundenorientierung (Das & Ravi, 2021). Kundenorientierte Unternehmen neigen dazu, die Ressourceneffizienz gegen eine erhöhte Reaktionsfähigkeit auf die Anforderungen ihrer Kunden einzutauschen. Die Fokussierung auf die Kundenbedürfnisse kann den Kundenservice verbessern, indem ein geeignetes Informationssystem implementiert wird, das Informationen über die Serviceleistung für das Management sammelt (Elena, 2016; Dhingra & Dhingra, 2013) und zusätzliche Unterstützung bietet.

Service Prozess fit

Der Dienstleistungsprozess-Fit wurde als eine Konfiguration von Technologien definiert, durch die Dienstleistungsanbieter die dynamischen und komplexen Bedürfnisse der Kunden erkennen und mit Hilfe von Informationstechnologie darauf reagieren (Farmania et al., 2021). Aus der Perspektive eines erfolgreichen Informationssystems ist ein Serviceprozess-Fit in den Unternehmensabläufen notwendig, um CRM-Aktivitäten mit dem kundenorientierten Arbeitsprozess in Einklang zu bringen; die Literatur zum Prozess-Fit hat sich mit dem Zusammenhang zwischen dem Erfolg von Informationssystemen und der Rentabilität von CRM beschäftigt. Im kundeninformationszentrierten Umfeld von CRM sollten Unternehmen die Erfahrungen und Probleme der Kunden analysieren und dann entsprechend auf deren Bedürfnisse reagieren und sie unterstützen. CRM muss den sich ständig ändernden Bedürfnissen der Kunden auf der Grundlage integrierter und zuverlässiger Kundeninformationen entsprechen. Eine Vielzahl von informationstechnologischen Ressourcen und Fähigkeiten sind für die Erbringung von Kundendienstleistungen von Bedeutung. Zu den allgemeinen Technologien gehören Scanning- und Imaging-Technologien, Computernetzwerke mit Agenten und Maklern, webfähige Kundenschnittstellen, Software für Anrufverfolgung und CRM, Computer- und Telefonintegration sowie Expertensysteme für den Kundendienst. Obwohl viele dieser Technologien letztendlich in den Kundendienstprozess eines Unternehmens integriert werden müssen (Feyen et al., 2021; Grewal & Roggeveen, 2020; Ghalenooie & Sarvestani, 2016), sind diese Anwendungen und Technologien für alle Unternehmen verfügbar.

Wissen teilen

Die Weitergabe von Kundenwissen kann als eine Schlüsselressource betrachtet werden, die es einer Organisation ermöglicht, ihre Kundenbeziehungen zu stärken, um einen nachhaltigen Wettbewerbsvorteil zu erzielen (Hajikhani et al., 2016). Hamakhan (2020) vertrat die Ansicht, dass künftige CRM-Forschungen untersuchen müssen, wie CRM mit den Innovationsmustern eines Unternehmens und den Kundenbetreuern und Kundendienstmitarbeitern verknüpft ist, die die Grenzrolle im CRM spielen. Unternehmen nutzen auch verschiedene Formen des interorganisationalen Austauschs, um sich die benötigten Ressourcen zu sichern, darunter Lizenzvergabe, Kooperationen sowie Fusionen und Übernahmen. Historisch gesehen wurde die ressourcenbasierte Theorie entwickelt, um die Bedingungen zu verstehen, unter denen Unternehmen einen Wettbewerbsvorteil erhalten und erlangen können (Hammoud et al., 2018). Aus dieser Perspektive wiesen Javed und Cheema (2017) darauf hin, dass Kernkompetenzen kollektives Lernen in jeder Organisation sind, insbesondere im Zusammenhang mit der Koordinierung verschiedener Produktionsfähigkeiten und der Integration mehrerer Technologieströme. Eine Kernkompetenz schafft potenziellen Zugang zu einer Vielzahl von Märkten und trägt wesentlich zum Nutzen der Endprodukte bei. Frühere Untersuchungen haben gezeigt, dass ein Informationssystem als Kernressource betrachtet werden sollte, wobei die ressourcenbasierte Theorie zur Bestimmung der Beziehungsaktivitäten herangezogen wird (Keramati et al., 2018.).

Die Bedeutung des Wissensaustauschs bei der Zusammenarbeit ist erwiesen (Jocovic et al., 2014). Ein verstärkter Wissensaustausch hat zu organisatorischen Vorteilen wie größerer Kundennähe, höherer Back-Office-Effizienz, flexiblerer Anpassung an Marktveränderungen, besserer strategischer Planung, besserer Entscheidungsfindung und schnelleren und flexibleren Lieferkettenmanagementprozessen geführt (Khan et al., 2020). Lakshmi (2020) behauptete, dass ein ineffektiver Informationsaustausch zu Koordinationsproblemen bei Projekten und damit zu erfolglosen Kooperationen führen kann.

Branding

Nach Aaker (2009) gibt es Markenwerte oder -verbindlichkeiten, die das Potenzial haben, den Wert der Marke zu erhöhen oder zu verringern, und zwar Markenbekanntheit, Markentreue, wahrgenommene Qualität, Markenassoziation und andere geschützte Werte.

Damit Unternehmen im heutigen Geschäftsumfeld erfolgreich sein können, muss der Markenwert gesteigert werden, was bedeutet, dass ein Premiumpreis verlangt werden kann und mehr Empfehlungen generiert werden, um den Umsatz zu steigern (Peppers & Rogers, 2017). Javed und Cheema (2017) vertraten die Ansicht, dass die Differenzierung von Geschäftsangeboten eine Steigerung des Markenwerts durch die Schaffung dauerhafter Kundenerfahrungen erfordert. Die Kundenerfahrung, die sich daraus ergibt, dass man ein Produkt oder eine Dienstleistung direkt ausprobiert hat, ist substanzieller, wird besser festgehalten und sagt das Kundenverhalten besser voraus als indirekte Erfahrungen wie Werbung. Die Forscher definierten das Kundenerlebnis auch als einen Begriff, der auf der Interpretation der gesamten Begegnung des Kunden mit einer Marke und dem mit dieser Begegnung verbundenen Wert beruht. Es wurde argumentiert, dass die Kunden, bevor sie ihre Präferenz für eine Marke zeigen können, ein Bewusstsein für die Marke geschaffen haben sollten.

Die Ergebnisse der Studie zeigen tendenziell, dass es aufgrund der Kontextspezifika keine empirische Unterstützung für die Verknüpfung von Markenbewusstsein und Markenassoziationen gab. Die Ergebnisse zeigten positive Auswirkungen von Kundenerfahrungen auf die Dimensionen des Markenwerts, was mit der Arbeit von Keller (2003) übereinstimmt, die postuliert, dass der einer Marke beigemessene Wert eine Funktion des Ergebnisses des Lernens aus der Begegnung mit der Marke ist. Zusammenfassend lässt sich sagen, dass sich der Markenwert aus der Wahrnehmung der Kunden hinsichtlich ihrer Erfahrungen mit dem Unternehmen, der Marke und den mit der Marke verbundenen Personen ergibt.

Nach Salim et al. (2018) wurde Co-Creation als die Fähigkeit von Unternehmen erklärt, eine Erfahrung zu liefern, die Kunden anspricht und langfristige, nachhaltige Beziehungen aufbaut, und nicht nur ein Gefühl der Zugehörigkeit, das eine Marke den Verbrauchern und anderen Stakeholdern bietet. Die Analyse des Wertanspruchs eines Unternehmens ermöglicht es, den Wert zu untersuchen, der innerhalb der Aktivitäten einer Organisation geschaffen wird, um diese für einen strategischen Vorteil zu positionieren und zu gestalten. Die Forscher sind der Meinung, dass es einen für beide Seiten oft vorteilhaften Austausch von Gütern und Dienstleistungen geben muss, damit auf dem Markt ein Wert geschaffen werden kann (Soltani & Navimipour, 2016). Co-Creation unterstreicht den Wert des Angebots einer Organisation als Funktion der Qualität der Gesamterfahrung und nicht nur der Qualität des Produkts. Die Markenbindung wurde als Prädiktor für die Absicht erklärt, Verhaltensweisen auszuführen, die bedeutende Verbraucherressourcen wie Zeit, Ansehen und Geld darstellen, und als Prädiktor für tatsächliches Verbraucherverhalten im Vergleich zur Stärke der Markeneinstellung (Peppers & Rogers, 2017). Diese Variable manifestiert sich im Kaufverhalten der Verbraucher bei der Wahl zwischen direkt konkurrierenden Marken und der Auswahl unter Marken, die auf ähnliche Bedürfnisse abzielen. Die Forscher definierten Markenbindung als die Stärke der Bindung zwischen einer Marke und dem Selbst, die sich als eine reichhaltige und zugängliche mentale Präsentation zeigt, die Gedanken und Gefühle über die Marke und die Assoziation der Marke mit dem Selbst verbindet. Die Ergebnisse der Studie zeigen, dass die Bindung, die sowohl durch die Verbindung zwischen Marke und Selbst als auch durch die Bekanntheit der Marke dargestellt wird, das tatsächliche Verbraucherverhalten deutlich besser vorhersagt als die Stärke der Markenattitüde.

4.6 Schlussfolgerung

Die in diesem Kapitel gesammelten Ergebnisse waren qualitativer Natur und wurden durch eine Umfrage gewonnen. Die Daten wurden in Themen strukturiert, um eine einfache Analyse der Daten zu ermöglichen. Es wurde empfohlen, dass die Zenith Bank ein CRM einführt, um die effektive Vorbereitung und Umsetzung des CRM im Unternehmen zu unterstützen. Im nächsten Kapitel werden die Empfehlungen, Möglichkeiten und Grenzen der Studie erörtert.

KAPITEL FÜNF
BEWERTUNG UND ENTWICKLUNG VON LÖSUNGSALTERNATIVEN

5.1 Einleitung

Dieses Kapitel zielt darauf ab, logische Empfehlungen vorzuschlagen, die das Wachstum der Zenith Bank ermöglichen würden. Um die beste Option für die Zenith Bank auszuwählen, werden die Vor- und Nachteile der einzelnen Optionen miteinander verglichen. Außerdem wird eine Entscheidungsmatrix zur Auswahl der besten Option verwendet, um sicherzustellen, dass die Auswahl auf logischen Überlegungen beruht.

5.2 Empfehlungen

Die Anwendung der Differenzierungsstrategie in der Zenith Bank würde das Wachstum des Unternehmens im nigerianischen Bankensektor ermöglichen. Das Ergebnis der Befragung zeigt, dass das Unternehmen derzeit keine Produktdifferenzierungsstrategie anwendet, die dazu beitragen würde, Innovationen zu fördern, Kunden zu gewinnen und den Marktanteil des Unternehmens in der Branche zu erhöhen.

Da das Unternehmen gewillt ist, seine Position als eine der profitabelsten Banken der Branche zu behalten, muss es sich auf die folgenden Dinge konzentrieren:

Das Unternehmen muss sich darauf konzentrieren, einen Mehrwert für seine Kunden zu schaffen, indem es den Schwerpunkt auf den Kostenwert der Produkte des Unternehmens im Vergleich zu ähnlichen Produkten der Wettbewerber in der Branche legt.

Das Unternehmen muss sich darauf konzentrieren, in anderen Geschäftsbereichen als der "Preisgestaltung" zu konkurrieren.

Das Unternehmen muss sich darauf konzentrieren, eine Marke für sich selbst zu schaffen, um seine Kundenbindung zu erhöhen.

Das Unternehmen muss sich darauf konzentrieren, ein qualitativ hochwertiges Produktangebot zu schaffen, das den Kunden den Eindruck vermittelt, dass es keinen Ersatz für seine Produkte gibt.

Im Einklang mit dem oben Gesagten gibt es einige Empfehlungen, die der Forscher vorschlägt, damit die Zenith Bank in der Lage ist, ihr Wachstum voranzutreiben. Diese Empfehlungen sind:

- Die Mitarbeiter der Zenith Bank müssen über ausreichende Produktkenntnisse über das gesamte Produktangebot des Unternehmens verfügen. Dies würde die Mitarbeiter in die Lage versetzen, bei der Interaktion mit dem Kunden Cross-Selling-Produkte anzubieten.
- Die Zenith Bank muss sich bemühen, alle Mitarbeiter ausreichend über ihre Produkte und Dienstleistungen zu schulen. Damit soll organisatorisches Wissen aufgebaut werden, das dem Unternehmen einen Wettbewerbsvorteil verschaffen würde.
- Um die Loyalität der Kunden zu sichern, müssen alle Mitarbeiter im Kontakt mit den Kunden ständig einen außergewöhnlichen Service bieten.
- Alle operativen Geschäftsprozesse des Unternehmens müssen gestrafft werden, um alle nicht wertschöpfenden Prozesse zu beseitigen. Dies würde die folgenden Punkte verbessern:
- Effizienzsteigerung bei Aufgaben
- Steigerung der Produktivität der Mitarbeiter
- Kosten reduzieren
- Verkürzung der Durchlaufzeit bei der Lösung von Kundenproblemen.

Es wird empfohlen, die derzeitige Struktur des Unternehmens von einer hierarchischen Struktur zu einer flachen Struktur zu ändern. Damit soll sichergestellt werden, dass das Unternehmen die Fähigkeit entwickelt, positiv auf die ständigen Veränderungen der Kundenbedürfnisse zu reagieren.

5.3 Optionen

In der Literaturübersicht wurde ausdrücklich festgestellt, dass die Zenith Bank von der Anwendung einer Produktdifferenzierungsstrategie als Instrument zur Förderung des Wachstums im nigerianischen Bankensektor immens profitieren könnte. Die aus dieser Untersuchung gewonnenen Ergebnisse zeigen, dass die derzeitige Anwendung einer Produktdifferenzierungsstrategie nicht effektiv durchgeführt wird. Angesichts des harten Wettbewerbs im Bankensektor muss die Zenith Bank eine wirksame Strategie entwickeln, die das Wachstum des Unternehmens fördert und ihm den gewünschten Wettbewerbsvorteil gegenüber seinen Konkurrenten verschafft. In Anbetracht dieser Situation schlägt der Forscher die folgenden Optionen vor:

- Option 1 - Schwerpunktstrategie
- Option 2 - Kostenführerschaft
- Option 3 - Differenzierung

5.3.1 Option 1 - Die Umsetzung der Schwerpunktstrategie

Die Anwendung dieser Strategie durch die Zenith Bank kann dem Unternehmen erhebliche Gewinne einbringen, da sie sich mehr auf ein enges Marktsegment wie die Region Lagos State konzentriert und so einen erheblichen Vorteil durch Differenzierung erzielt. Die Zenith Bank kann durch die Anwendung dieser Strategie Kundenloyalität genießen. Dies liegt daran, dass sich das Unternehmen auf ein enges Segment konzentriert und dadurch die Möglichkeit hat, diesem Segment einen immensen Kundenservice zu bieten.

Die effektive Anwendung der Fokusstrategie würde der Zenith Bank helfen, ihre Fähigkeiten und Kompetenzen auf ein bestimmtes Zielsegment auszurichten, das dem Unternehmen sehr gut bekannt ist. Es ist jedoch zu beachten, dass die Anwendung dieser Strategie mit Nachteilen verbunden ist. Solche Nachteile sind:

- Die kontinuierlichen Veränderungen in ausgewählten Zielmärkten
- Die Fähigkeit der Wettbewerber, das Produktangebot der Zenith Bank leicht zu imitieren.
- Konkurrenten, die eine Strategie der Kostenführerschaft auf dem Markt verfolgen, können direkt mit der Zenith Bank konkurrieren, da sie ihr Produktangebot so verändern können, dass es dem der Zenith Bank entspricht.
- Die Wettbewerber können Untersegmente schaffen, um den Bedürfnissen der Kunden besser gerecht zu werden als die Zenith Bank.

5.3.2 Option 2 - Anwendung der Strategie der Kostenführerschaft

Diese Strategie kann in der Zenith Bank angewandt werden, um die Kosten zu senken und trotzdem ein bestimmtes Qualitätsniveau zu halten. Da die Zenith Bank in einem sehr wettbewerbsintensiven Umfeld tätig ist, in dem die Preisgestaltung der Produkte eine der wichtigsten Taktiken bei der Kundenakquise ist, muss sich das Unternehmen auf die Senkung der Gemeinkosten konzentrieren, die mit allen Unternehmensbereichen verbunden sind. Auf diese Weise kann die Zenith Bank ihre

Produkte zu den branchenüblichen Preisen verkaufen und aufgrund der reduzierten Kosten dennoch einen guten Gewinn erzielen.
Außerdem kann die Zenith Bank ihr Produkt weit unter dem Branchenpreis im Bankensektor verkaufen, um wichtige Marktanteile im nigerianischen Bankensektor zu gewinnen. Die Befragung der Mitarbeiter der Zenith Bank hat ergeben, dass die wichtigsten Konkurrenten des Unternehmens Access Bank, GTBank und First Bank sind. Im Falle eines Preiskampfes zwischen den Konkurrenten kann die Zenith Bank ihre Rentabilität aufrechterhalten, indem sie sich darauf konzentriert, eine große Anzahl von Kunden zu niedrigeren Preisen zu bedienen. Die Zenith Bank kann diese Strategie durch die folgenden Mittel umsetzen:

- Verbesserung der operativen Geschäftsprozesse,
- die Anwendung von Entscheidungen zur vertikalen Integration zu verbessern:
- Effizienz in den Geschäftsabläufen des Unternehmens
- Durchlaufzeit bei der Lösung von Kundenproblemen

Die Annahme dieser Strategie ist mit potenziellen Risiken verbunden. Die Zenith Bank ist ein Unternehmen, das in einem sehr harten Geschäftsumfeld tätig ist, in dem die Kunden außerordentlich aufgeklärt und wählerisch sind, was die Auswahl der Produkte und Dienstleistungen des Unternehmens angeht. Die Notwendigkeit, die Prozesse zu verbessern, um die gewünschte Effizienz zu erreichen und einen Wettbewerbsvorteil zu erzielen, könnte sich daher als unzureichend erweisen, da andere Unternehmen solche Strategien leicht nachahmen und ihre Prozesse ebenfalls verbessern können, wodurch ein Szenario entsteht, in dem es für die Zenith Bank schwierig werden könnte, den gewünschten Wettbewerbsvorteil in ihrem Geschäftsumfeld zu erzielen. Es ist erwähnenswert, dass Organisationen innerhalb des nigerianischen Bankensektors, die die Fokusstrategie umsetzen, im Vergleich zur Zenith Bank geringere Kostensenkungen erzielen können, da sie möglicherweise ein engeres Marktsegment anvisieren.

5.3.3 Option 3 - Die Umsetzung der Differenzierungsstrategie

Die Einführung einer Differenzierungsstrategie in der Zenith Bank wäre für das Unternehmen von großem Nutzen. Die Anwendung dieser Strategie in der Zenith Bank kann dazu genutzt werden, neue Produkte und Dienstleistungen zu entwickeln, die den

Kunden einen immensen Wert bieten, um so den gewünschten Wettbewerbsvorteil gegenüber den Konkurrenten wie der GTBank und der First Bank zu erzielen. Um die gewünschten Einnahmen aus den neu entwickelten Produkten zu erzielen, muss der strategische Wert aus der Nutzung der Produkte abgeleitet werden.

Die Zenith Bank kann einzigartige Produkte entwickeln und durch die Festsetzung hoher Preise für diese Produkte erhebliche Einnahmen erzielen. Es wird daher erwartet, dass die hohen Preise für diese Produkte die Kosten für die Produktentwicklung decken würden. Durch die Betonung der besonderen Merkmale der neu entwickelten Produkte kann die Zenith Bank einen Teil der mit der Entwicklung des Produkts verbundenen Kosten auf den Kunden abwälzen, der dieses Produkt nicht ohne weiteres durch andere Produkte im Bankensektor ersetzen kann.

5.4 Entscheidungsmatrix

Wie aus den obigen Abschnitten hervorgeht, wurden vom Forscher drei Optionen für eine mögliche Einführung in der Zenith Bank vorgeschlagen. Um die Auswahl der bestmöglichen vorgeschlagenen Option zu gewährleisten, wurde eine Entscheidungsmatrix verwendet. Um den erfolgreichen Einsatz der Entscheidungsmatrix zu gewährleisten, wurden zwei Überlegungen angestellt, und zwar:

- Die Entscheidungskriterien
- Das Gewicht und der Umfang der Optionen.

Aufgrund der vorstehenden Ausführungen kann die beste Option auf der Grundlage der Logik durch die Anwendung der folgenden Entscheidungskriterien ausgewählt werden:

- Durchführbarkeit - (1)
- Nachhaltigkeit - (2)
- Verlässlichkeit - (3)
- Kosteneffizienz - (4)
- Zusicherung - (5)

Die drei vom Forscher vorgeschlagenen Optionen werden anhand der oben genannten Faktoren abgewogen. Dabei wird eine Skala von eins (1) bis fünf (5) verwendet:

- Eins (1) - stellt das geringste Gewicht dar
- Fünf (5) - stellt die höchste Gewichtung dar

Daher wird die Option mit der höchsten Gewichtung als die beste Option angesehen. Die Skala der Optionen ist in der nachstehenden Tabelle dargestellt:

Tabelle 5.1Bereich der Optionen.

Umfang der Optionen	
1	Erfüllt die Kriterien nicht
2	Erfüllt die Kriterien in gewissem Maße
3	Erfüllt die Kriterien
4	Übertrifft die Kriterien teilweise
5	Erhebliche Überschreitung der Kriterien

Um die richtige Option allein auf der Grundlage logischer Überlegungen auszuwählen, wurde das Instrument der Entscheidungsmatrix verwendet. Diese ist in der nachstehenden Tabelle dargestellt:

Tabelle 5.2 Die Entscheidungsmatrix der Zenith Bank.

Kriterien	Optionen		
	Schwerpunkt Strategie (1)	Kostenführersch aft (2)	Differenzierun g (3)
Durchführbarkeit	3	4	5
Nachhaltigkeit	3	3	4
Verlässlichkeit	2	3	4
Kosteneffizienz	3	2	4
Versicherung	3	1	3
GESAMTGEWICH T :	**14**	**13**	**20**

5.5 Auswahl der bevorzugten Option - Anwendung der Differenzierungsstrategie

Aus der obigen Entscheidungsmatrix geht hervor, dass der Einsatz einer Differenzierungsstrategie die beste Option für die Zenith Bank ist. In Übereinstimmung mit dem oben Gesagten würde die Annahme einer Differenzierungsstrategie die Fähigkeiten der Zenith Bank verbessern, das Wachstum voranzutreiben. Dies kann durch die folgenden Maßnahmen erreicht werden:

- Die Entwicklung einer effektiven Produktentwicklungseinheit.
- Die Zenith Bank wäre in der Lage, ihren Kunden innovative Lösungen anzubieten.
- Die Stärke der Zenith Bank bei der Entwicklung von Qualitätsprodukten würde gestärkt werden.
- Die Mitarbeiter des Unternehmens wären gut in der Lage, ihre Produkte an die Kunden zu verkaufen, um einen effektiven Absatz zu erzielen.
- Der Markenname der Zenith Bank würde dadurch erheblich aufgewertet werden.

5.6 Schlussfolgerung

In diesem Kapitel werden die Ergebnisse der im Rahmen dieser Studie durchgeführten Befragung dargestellt. Vor diesem Hintergrund wurden drei Optionen geprüft, um die beste Option auszuwählen, die das Wachstum der Zenith Bank fördern würde. Diese drei Optionen sind die Fokusstrategie, die Kostenführerschaft und die Differenzierungsstrategie. Die Auswahl der Differenzierungsstrategie wurde mit Hilfe einer Entscheidungsmatrix getroffen. Das nächste Kapitel befasst sich mit dem Umsetzungsplan für die ausgewählte Option.

KAPITEL SECHS
UMSETZUNG

6.1 Einleitung

Im vorangegangenen Kapitel hat der Forscher einige Empfehlungen ausgesprochen, um das Wachstum der Zenith Bank zu fördern. Die Einführung einer Differenzierungsstrategie wurde gewählt, um das Wachstum des Unternehmens im nigerianischen Bankensektor zu fördern. Der in dieser Studie verwendete Umsetzungsplan wird in diesem Kapitel vorgestellt.

6.2 Umsetzungsplan

Der Durchführungsplan für die gewählte Option ist in der nachstehenden Tabelle aufgeführt. Der Plan folgt einer einfachen Logik von Aktivitäten, noch durchzuführenden Maßnahmen und den für die genannten Aktivitäten benötigten kritischen Beamten. Es ist notwendig, einen Umsetzungsplan zu entwickeln, um die Aktivitäten aufzuzeigen, die durchgeführt werden müssen, um die gewünschte und empfohlene Option zu erreichen. Der Umsetzungsplan, der für die Einführung einer Differenzierungsstrategie in der Zenith Bank erforderlich ist, wird im Folgenden dargestellt.

S/N	Tätigkeit	Aktionen	Verantwortlich	Zeitleisten
1	Skizzieren Sie alle Marketingziele	• Untersuchen Sie den Markt und legen Sie fest, auf welchem Markt Sie konkurrieren wollen. • Überprüfen Sie sowohl den Marktanteil als auch das Einkommen und	Referat Strategie Referat Marketing Das Führungsteam des Unternehmens	Erste Woche Juli 2022

		verwenden Sie diese Indizes, um Ziele zu ermitteln. • Prüfen Sie die Fähigkeiten des Unternehmens und nutzen Sie seine Kernkompetenzen, um den gewünschten Vorteil zu erzielen.		
2	Untersuchung und Bestimmung der strategischen Ausrichtung des Unternehmens	• Untersuchung des Marktes und Ermittlung der Wettbewerber • Bestimmen Sie, wie Sie den Wettbewerb in Ihrem Marktsegment angehen wollen. • Legen Sie fest, ob der strategische Schwerpunkt darauf liegen soll, das Wachstum des Marktes voranzutreiben oder lediglich	Referat Strategie Referat Marketing Das Führungsteam des Unternehmens	Zweite Woche Juli 2022

		Marktanteile zu gewinnen. • Ermitteln Sie, ob es kosteneffizienter ist, sich auf bestehende Kunden oder die Akquisition neuer Kunden in verschiedenen Geschäftsbereichen zu konzentrieren.		
3	Definition der Zielkunden	• Identifizieren Sie die spezifische Struktur der Produktdifferenzierung. • Verschiedene Techniken zur Produktdifferenzierung zu identifizieren. • Bestimmen Sie das anzustrebende Marktsegment. Dies sollte unter Berücksichtigung der Größe, der Rentabilität und des	Referat Strategie Referat Marketing	Dritte Woche Juli 2022

		Wachstumspotenzials geschehen.		
4	Durchführung der Analyse der Wettbewerber	• Identifizieren, was der Kunde bei der Zenith Bank kauft • Erkennen, wann Kunden nicht bei der Zenith Bank kaufen • Untersuchen Sie die Ansichten und Meinungen der Kunden zu den Produkten der Zenith Bank im Vergleich zu anderen Wettbewerbern im Bankensektor. • die Strategie anderer Unternehmen in Bezug auf ihre Produkte und Dienstleistungen zu ermitteln.	Referat Strategie Referat Marketing	Vierte Woche Juli 2022
5	Identifizieren Sie den Differenzvorteil	• Ermittlung der besten Standorte, die einen angemessenen	Referat Strategie Referat Marketing	Erste Woche August 2022

		Absatz der Produkte des Unternehmens fördern würden • Um einen Wettbewerbsvorteil zu erzielen, müssen die Fähigkeiten und Kompetenzen der Mitarbeiter der Zenith Bank genutzt werden. • Ermittlung des angemessenen Niveaus der Barmittel und der Fähigkeiten, die zur Erzielung eines Wettbewerbsvorteils erforderlich sind.		
6	Initiieren Sie die Verwendung von kontrollierbaren Variablen (4ps)	• Identifizieren Sie potenzielle Segmente und erstellen Sie einen Marketingplan, der diese ausgewählten Segmente umfasst.	Referat Strategie Referat Marketing	Zweite Woche August 2022

		• Ermittlung der Grundlage für Wettbewerbsvorteile • Bewertung der kontrollierbaren Variablen und Ermittlung der zu ergreifenden Maßnahmen, die rechtzeitig durchgeführt werden sollten.		
7	Umsetzung	• Skizzieren Sie die Werte, Überzeugungen und Kultur der Zenith Bank • Feststellen, in welchen Bereichen die Zenith Bank ihre Kernkompetenz hat • Identifizierung der Mitarbeiter der Zenith Bank im Hinblick auf ihre Fähigkeiten und Kompetenzen • Identifizieren Sie die	Referat Marketing Referat Strategie Produktentwicklungsteam	Dritte Woche August 2022

		Organisationsstruktur der Zenith Bank • Ermittlung der technologischen Infrastruktur, die für eine erfolgreiche Umsetzung der strategischen Initiative in der Zenith Bank erforderlich ist • Überprüfung und Ermittlung der Struktur und der betrieblichen Abläufe, die die Umsetzung der strategischen Initiative unterstützen können. • Identifizierung der vorhandenen Strukturen, die den Umsetzungsprozess unterstützen können		
8	Leistung überwachen	• Erstellen Sie Zielvorgaben für das Personal, um	Referat Humanressourcen	Vierte Woche

		die Leistung zu überwachen. • Die Leistung sollte anhand der Kundenzufriedenheit, des Umsatzes und der Kundengewinnung gemessen werden. • Die Zenith Bank sollte nicht-finanzielle Messgrößen für die Leistungsüberwachung und -bewertung einsetzen.	Referat Marketing Referat Strategie Referat Finanzkontrolle/Leistungsmanagement	August 2022

6.3 Einschränkungen bei der Umsetzung

Der Forscher stand unter dem Zwang der Zeit. Einige Manager könnten zögern, einer Änderung des CRM-Systems zuzustimmen, die zwar von größter Bedeutung ist, ihnen aber möglicherweise nicht schmeckt. Aufgrund von Liquiditätsengpässen wurden einige effiziente Mitarbeiter entlassen. Vor allem in der Implementierungsphase eines effektiven CRM-Systems, das zu einer Differenzierung der Dienstleistungen führen wird, stehen möglicherweise nur wenige Mitarbeiter zur Verfügung.

6.3 Schlussfolgerung

Dieses Kapitel zeigt den Umsetzungsplan, der für den empfohlenen Einsatz der Differenzierungsstrategie zur Erreichung des Wachstums der Zenith Bank erforderlich ist.

KAPITEL SIEBEN

REFLECTION

7.1 Einleitung

In Kapitel sechs wurde ein Umsetzungsansatz für die Pläne der bevorzugten Empfehlung vorgeschlagen, die sich darauf konzentrierte, wie die bestehenden Bedingungen der Produktdifferenzierung verbessert werden können. Das siebte Kapitel befasst sich mit den Überlegungen des Forschers zu dieser gesamten Studie.

7.2 Organisatorische und persönliche Lernperspektive

- **Unternehmertum**

Die Forscherin hat Überstunden gemacht; während dieser Forschung traten viele Herausforderungen bei der Umsetzung auf, die damit zusammenhingen, wie sie sich auf die Mitarbeiter auswirken, um sicherzustellen, dass die Motivation nicht beeinträchtigt wird. Dies führte zu einer unternehmerischen Denkweise bei der Forscherin, da sie ständig die Beziehung zwischen allen geschäftsbezogenen Aktivitäten des Unternehmens und der Motivation der Mitarbeiter prüft. Auf diese Weise ist das Unternehmen gut zentriert.

- **Kommunikation**

Kommunikation ist eindeutig eine in beide Richtungen gehende Aktivität, die der Forscher nun klar versteht und die vor allem Zuhören und Argumentieren beinhaltet. Der Forscher hört nun aktiv zu, modelliert und unterstützt eindeutig die Äußerung von Ideen und Meinungen anderer, während er sich bewusst darum bemüht, die Perspektive anderer zu verstehen. Während der Datenerhebung für diese Arbeit wurden in der Bank einige Kommunikationsprobleme festgestellt, z. B. Situationen, in denen die Mitarbeiter das Gefühl hatten, dass die Kommunikationskanäle innerhalb der Bank einseitig sind (von der Geschäftsleitung zu den Mitarbeitern) und nicht umgekehrt. Der Forscher leistet auch einen wichtigen Beitrag zu den organisatorischen Grundsätzen und Strategien, die bei der Führung der Geschäfte der Bank angewandt werden. Dies geschieht in Überprüfungssitzungen, Leistungsbeurteilungen, Teamsitzungen und Strategiesitzungen des Managements.

- **Zusammenarbeit**

Die Forscherin hat erkannt, dass als Führungskraft die Stärke und Schwäche ihres Teams in der Belastbarkeit und Stärke jeder einzelnen Person im Team liegt. Daher ist es sehr wichtig, dafür zu sorgen, dass jede Person im Team voll fähig und angemessen ausgestattet ist und sich gegenseitig ergänzt, um sicherzustellen, dass die Verantwortung jedes Einzelnen klar umrissen ist und ordnungsgemäß ausgeführt wird. Die Forscherin kam auf die Idee, einen Vorschlagskasten für ihr Team einzurichten, um Herausforderungen, die während ihrer Aktivitäten auftauchen könnten, festzuhalten und zu beschreiben, wie sie gelöst wurden. Dies wird dazu beitragen, andere Mitglieder der Bank zu informieren, sollten sie in Zukunft mit solchen Problemen konfrontiert werden. Darüber hinaus leitet die Forscherin jeden Morgen eine 30-minütige Brainstorming- und Mastery-Sitzung, an der die meisten Mitarbeiter teilnehmen können, um sicherzustellen, dass alle Mitarbeiter über die Geschehnisse in der Branche und auf der ganzen Welt auf dem Laufenden sind.

- **Strategische Politikentwicklung**

Nach der Untersuchung der grundlegenden Herausforderungen bei der Einbeziehung der Mitarbeiter in geschäftsbezogene Angelegenheiten wurde es entscheidend, dass das Problem, das angesprochen werden sollte, strategisch genug sein musste, um sowohl die Geschäftspolitik zu verbessern, da sie sich auf das Umsatzwachstum auswirkt, als auch die Denkweise der Mitarbeiter innerhalb der Organisation. Der Ankerpunkt hierfür lag in der Personalabteilung, und um sicherzustellen, dass die Personalabteilung qualifiziert genug ist, um eine Personalentwicklungspolitik zu initiieren, voranzutreiben, umzusetzen und aufrechtzuerhalten, die sowohl für die Mitarbeiter als auch für das Unternehmen von Vorteil ist, muss die Zenith Bank sicherstellen, dass sie eine Personalabteilung ausbaut und schafft, die sich eindeutig auf das Talentmanagement konzentriert.

- **Fähigkeiten zur Entscheidungsfindung**

Die Forscherin hat jetzt ein klareres Verständnis an ihrem Arbeitsplatz und gibt zu, dass durch Action Learning, das Lösen von Problemen am Arbeitsplatz, bestimmte Personen, die zurückgezogen und schüchtern sind, sich Zeit nehmen wollen, um über ihre Gedanken nachzudenken, bevor sie sprechen, während die sehr hyperaktiven und kontaktfreudigen Personen ihre Gedanken aussprechen wollen, um sie zu erklären. Der Forscher setzt dies in die Tat um, indem er feststellt, dass sich die Menschen an Realitäten, Fakten und die Wahrheit halten. Der Forscher stellt auch fest, dass

Menschen mit einer Denkpräferenz dazu neigen, bei der Lösung von Problemen Logik und Analyse anzuwenden. Die Forscherin räumt auch ein, dass jedes Teammitglied ein anderes Temperament hat; wenn sie also Entscheidungen trifft, die diese Teammitglieder betreffen, muss sie berücksichtigen, wie deren Persönlichkeit ihre Entscheidungen ergänzen und unterstützen kann. Als Führungskraft trifft die Forscherin täglich mehrere Entscheidungen, die sich sowohl negativ als auch positiv auf das Unternehmen auswirken können. Daher muss sie schnell und logisch denken können, um in der Bank effektiv und relevant zu bleiben.

- **Lernen und persönliche Entwicklung**

Die Anmeldung für das Action Learning BSN MBA-Programm und die Durchführung von Forschungsarbeiten wie dieser war letztendlich eine der besten Entscheidungen, die der Forscher in seinem Leben getroffen hat. Das Programm hat einen sehr bemerkenswerten Einfluss auf die Persönlichkeit des Forschers gehabt. Zu den wichtigsten Bereichen, die davon betroffen sind, gehören das Selbstvertrauen des Forschers, seine Kommunikationsfähigkeiten, seine Führungsqualitäten, sein unternehmerisches Denken, seine Unternehmensführung, sein Auftreten als Führungskraft und seine Beteiligung, sein innovatives Denken, sein Auftreten, sein Schreiben und seine Präsentationen, usw. Die Interaktion der Forscherin mit Klassenkameraden und anderen Studenten in der Schule hat sie auch in anderer Hinsicht informiert und ihre Denkweise erweitert und dazu beigetragen, ein gesünderes und stärkeres Netzwerk von Menschen und Ressourcen aufzubauen, das bei der geschäftlichen und persönlichen Entwicklung helfen kann.

- **Informationen auswerten**

In der Organisation sind die Menschen täglich mit komplexen Situationen konfrontiert, sei es in Bezug auf Strategie, Technologie, Entscheidungen oder Politik. In jeder dieser Situationen ist es sowohl für die Mitarbeiter als auch für die Organisation unerlässlich, ihren Ansatz für diese Probleme regelmäßig anzupassen. Der Forscher ist jetzt eher ein strategischer Denker, der die Vorteile und Schwächen von Situationen sieht und versteht. Der Forscher analysiert nun gerne komplexe, theoretische und abstrakte Konzepte, um sie zu vereinfachen und für andere verständlich zu machen.

- **Ethische Verantwortung**

Da sie Teil der Organisation ist und sieht, dass auch die soziale Verantwortung der Unternehmen beachtet wird, achtet die Forscherin darauf, dass ihre Teamkollegen frei mit ihr kommunizieren, so dass beunruhigende Probleme aufgedeckt und bei Bedarf von der Geschäftsleitung angesprochen werden können. Um darüber hinaus sicherzustellen, dass alle Verfahren und Prozesse eingehalten werden, verfügt die Bank über ein Wertehandbuch, in dem Anliegen und Prozesse im Zusammenhang mit der Bank sowie die erwartete Vorgehensweise beschrieben sind. Darin wird dargelegt, wie Probleme eskaliert werden sollten, welches Belohnungssystem es gibt und welche Strafen für Versäumnisse verhängt werden.

7.3 Bewertung des ALP anhand des ursprünglichen Ausführungsplans des Forschers

Die Forscherin war in der Lage, sich genau an den Zeitplan zu halten und die Arbeit in Rekordzeit abzuschließen. Sie war in der Lage, das während des Schreibens erworbene Wissen zu nutzen, sie setzte die Erfahrung und das Wissen im Bereich Zeitmanagement effizient ein, um ihre Arbeit durchzuführen. Außerdem war sie in der Lage, Vorkehrungen für unvorhergesehene oder ungeplante Aktivitäten zu treffen, die ein rechtzeitiges Vorankommen bei dieser Arbeit verhindern könnten. Im Wesentlichen bemühte sie sich, so proaktiv wie möglich zu sein, insbesondere bei der Verwaltung der Stichprobenpopulation, da sie wusste, dass diese andere, ebenso wichtige Aufgaben zu erledigen hatte. So sollte sichergestellt werden, dass die bereitgestellten Fragebögen rechtzeitig und so wahrheitsgemäß wie möglich beantwortet wurden. Am wichtigsten war, dass die Einhaltung des Arbeitsplans recht anspruchsvoll war, aber die Forscherin überprüfte ständig ihre Zeitmanagementfähigkeiten, um sicherzustellen, dass sie effizient genug waren.

7.4 Erlangtes Erfahrungswissen

Diese Forschungsarbeit hat der Forscherin die Augen geöffnet und sie hat viele neue Erkenntnisse gewonnen. Sowohl die Forscherin als auch ihre Bank erhielten frische und neue Einblicke in die Grundlagen der Produktdifferenzierungsstrategie, die jedem Unternehmen hilft, seinen Wettbewerbsvorteil auszubauen, und wie effektive Kundenbeziehungen das Ertragswachstum der Bank steigern. Darüber hinaus wurden die Kenntnisse über strategische Planung, Wettbewerb und Marketingstrategien vertieft. Unternehmen müssen dafür sorgen, dass Mitarbeiter, die in ihren Aufgabenbereichen Wachstumspotenziale aufweisen, indem sie innovativ und kreativ sind, ausreichend inspiriert und motiviert werden, um kreativ zu bleiben, und dass sie gut gepflegt werden, damit sie dauerhaft bleiben.

7.5 Schlussfolgerung

Zusammenfassend lässt sich sagen, dass die Bank eine schlanke Struktur beibehalten hat, ihre Organisationsstruktur ist hierarchisch mit einem gewissen Maß an Bürokratie in der Bank, was die Entscheidungsfindung erschweren könnte. Die Kommunikation zwischen den operativen Abteilungen könnte aufgrund der derzeitigen Organisationsstruktur verwirrend sein, was sich unweigerlich auf die Bearbeitungszeit von Kundenanliegen auswirkt und möglicherweise die Wahrnehmung der Bank durch die Kunden beeinträchtigt. Es ist sehr wichtig, dass dies so schnell wie möglich behoben wird.

.

REFERENZEN

Abu Aliqah, K. M. 2012. Differenzierung und organisatorische Leistung: Empirical Evidence from Jordanian Companies. Journal of Economics, 3, 1.

Acquaah, M. und Yasai-Ardekani, M. 2008. Bringt die Umsetzung einer kombinierten Wettbewerbsstrategie zusätzliche Leistungsvorteile? Eine neue Perspektive aus einer Übergangsökonomie in Subsahara-Afrika. Journal of Business Research, 61.

Adiyanto, N. .2021. Kundenbeziehungsmanagement .CRM. Based On Web To Improve The Performance Of The Company. IAIC Transactions on Sustainable Digital Innovation .ITSDI. The 1st Edition Vol. 1 No. 1 October 2019, 32.

Amoako-Gyampah, K. und Acquaah, M. 2008. Fertigungsstrategie, Wettbewerbsstrategie und Unternehmensleistung: Eine empirische Studie in einem sich entwickelnden Wirtschaftsumfeld. Internationale Zeitschrift für Produktionswirtschaft, 111.

Biggam J 2008. Erfolgreich mit Ihrer Masterarbeit: Ein Schritt-für-Schritt-Handbuch. [Buch]. - [s.l.] : The McGraw-Hill Companies. Open University Press.

Butt, M. S. (2021). Die Auswirkung des Einsatzes von Customer Relationship Management-Technologie auf die Unternehmensleistung - die vermittelnde und moderierende Rolle von Marketing-Fähigkeiten. International Journal of Innovation, Creativity and Change, 15.4., 832-861.

Cavallone, M., & Modina, M. .2013. Kundenwahrnehmung von Bankkommunikation: Evidence and Implications. Corporate Ownership & Control, 10.4., 299-307.

Choudhury, M. M., & Harrigan, P. .2014. Von CRM zu Social CRM: Die Integration neuer Technologien in das Kundenbeziehungsmanagement. Journal of Strategic Marketing, 22.2., 149-176.

Creswell J W 2003. Forschungsdesign. Qualitativer, quantitativer und gemischter Methodenansatz. [Buch]. - Thousand Oaks, CA: : Sage

Dadzie, J. E. .2017. An Evaluation of Customer Satisfaction Dimensions in the Ghanaian Banking Industry. Dissertation, Walden University.

Das, S., & Ravi, N. .2021. Eine Studie über die Auswirkungen der E-Banking-Servicequalität auf die Kundenzufriedenheit. Asian Journal of Economics, Finance and Management 5.1., 48-56.

Dhingra, M. & Dhingra, V. 2013. Determinanten des elektronischen Kundenbeziehungsmanagements (e-CRM) für die Kundenzufriedenheit im Bankensektor in Indien. *African Journal of Business Management* 7 .10., 762-768. http://www.academicjournals.org/AJBM. DOI:10.5897/AJBM11.712.

Drotskie, A. 2009. Das Kundenerlebnis als strategisches Unterscheidungsmerkmal im Privatkundengeschäft. Unveröffentlichte *Dissertation zur Erlangung des Doktorgrades in Business Management and Administration* an der Universität Stellenbosch, Südafrika.

Elena, C. A. .2016. Soziale Medien - eine Strategie für die Entwicklung des Kundenbeziehungsmanagements. Procedia Economics and Finance, 39, 785-790.

Farmania, A., Elsyah, R., & Tuori, M. .2021. Umwandlung von CRM-Aktivitäten in e-CRM: Die Generierung von e-Loyalty und Open Innovation. Journal of Open Innovation .7., 1-20.

Feyen, E., Frost, J., Gambacorta, L., & Natarajan, H. .2021. Fintech und die digitale Transformation von Finanzdienstleistungen: Auswirkungen auf die Marktstruktur und die öffentliche Politik. The Bank for International Settlements and the World Bank Group, 117, 1-48.

Freeman, G. .2012. Kundenbeschwerdemanagement: Loyalität fördern und Risiken in Ihrem Unternehmen mindern. Intelex Technologies Inc.

Ghalenooie, M. B., & Sarvestani, H. K. .2016. Evaluierung menschlicher Faktoren im Kundenbeziehungsmanagement - Fallstudie: Private banks of shiraz city. Procedia Economics and Finance, 36, 363-373.

Grewal, D., & Roggeveen, A. .2020. Verständnis von Einzelhandelserlebnissen und Customer Journey Management. Journal of Retailing, 96 .1., 3-8.

Hajikhani, S., Tabibi, S. J., & Riahi, L. .2016. Die Beziehung zwischen dem Kundenbeziehungsmanagement und der Loyalität von Patienten gegenüber Krankenhäusern. Global journal of health science, 8.3., 65.

Hamakhan, Y. T. (2020). Eine empirische Untersuchung von E-Banking in der Region Kurdistan im Irak: The Moderating Effect of Attitude. Financial Internet Quarterly 2020, 16 .1., 45-66.

Hammoud, J., Bizri, R., El Baba, I. (2018). The Impact of E-Banking Service Quality on Customer Satisfaction. SAGE Journal, 8.3., 1-12.

Heskett James L. 1976. Marketing [Buch]. - New York : Macmillian Publishing Co, - S. 265-267.

Javed, F., & Cheema, S. .2017. Kundenzufriedenheit und wahrgenommener Kundenwert und ihre Auswirkungen auf die Kundentreue: die vermittelnde Rolle des Kundenbeziehungsmanagements. Journal of Internet Banking and Commerce, 22.S8.

Jobber D 2004. Grundsätze und Praxis des Marketing. [Buch]. - UK : The McGraw-Hill Companies, - Vierte Auflage.

Jocovic, M., Melovic, B., Vatin, N., & Murgul, V. .2014. Moderne Geschäftsstrategie Customer Relationship Management im Bereich des Bauwesens. In Applied Mechanics and Materials .Vol. 678, pp. 644-647. Trans Tech Publications Ltd.

Kaplan, R. & Norton, D., 2000. Haben Sie Probleme mit Ihrer Strategie? Then Map It. *Harvard Business Review,* 78.5., S. 167-176.

Keramati, A., Apornak, A., Abedi, H., Otrodi, F., Roudneshin, M. .2018. Die Auswirkung der Servicewiederherstellung auf die Kundenzufriedenheit im E-Banking. International Journal of Business Information Systems 29.4., 459-484.

Khan, R. U., Salamzadeh, Y., Iqbal, Q., & Yang, S. 2020. Der Einfluss von Kundenbeziehungsmanagement und Unternehmensreputation auf die Kundenbindung: The Mediating Role of Customer Satisfaction. Zeitschrift für Beziehungsmarketing, 1-27.

Khasawneh, R., & bu-Shanab, E. .2012. Elektronisches Kundenbeziehungsmanagement in Jordanien. International Journal of Technology Diffusion, 3.3., 36-46.

Khodakarami, F., & Chan, Y. E. .2014. Untersuchung der Rolle von Customer Relationship Management (CRM)-Systemen bei der Schaffung von Kundenwissen. Information & Management, 51.1., 27-42.

Khrais, L. T. (2017). Framework For Measuring the Convenience of Advanced Technology on User Perceptions of Internet Banking Systems. Journal of Internet Banking and Commerce, 22.3., 1-18.

King, S. F. & Burgess, T. F., 2008. Understanding Success and Failure in Customer Relationship Management. *Industrial Marketing Management,* 3(2), S. 421-431.

Kocoglu, D., 2012. Customer Relationship Management and Customer Loyalty; A Survey In The Sector of Banking. *International Journal of Business and Social Science,* 3(3).

Kombo, F. .2015. Kundenzufriedenheit in der kenianischen Bankenbranche. Zeitschrift für Internationale Studien, 8.2., 174-186.

Kothari, C. R., 2004. *Forschungsmethodik: Methoden und Techniken*. New Age International.

Kothari, M. .2017. Modernizing Banking Experiences by Leveraging ECM. https://www.lntinfotech.com/wp-content/uploads/2019/05/Modernizing-Banking-Experiences-by-Leveraging-ECM.pdf.

Kotler P und Armstrong G 2008. Principles of Marketing [Buch]. - [s.l.] : Prentice Hall Europe, - 5th European Edition.

Kotler, P. & Armstrong, G., 2005. *Principles of Marketing.* Fifth European Edition. ed. s.l.:Prentice Hall, Europe.

Kotler, P. & Keller, K. .2012. "Marketing Management" 14th Edition. Prentice Hall.

Kotler, P. 2010. *Manajemen Pemasaran di Indonesia: Analisis, Perencanaan, Implementasi dan Pengendalian.* Salemba Empat, Jakarta.

Lakshmi, N. (2020). Kundenerfahrung und Engagement im digitalen Banking. Konferenz: Digitalisation of Banking OperationAt: Porur, Chennai. https://www.researchgate.net/publication/341152138.

Leedy, P.D. und Ormrod, J.E., 2016. Practical Research. *Upper Saddle River: Pearson Prentice-Hall. Open Journal for Educational Research*, *3*(2), S.67-80.

Lemon, K. N., White, T. & Winer, R. S., 2002. Dynamisches Kundenbeziehungsmanagement: Die Einbeziehung zukünftiger Überlegungen in die Entscheidung über die Beibehaltung von Dienstleistungen. *Zeitschrift für Marketing.* 66.

LRC, Loyalty Research Centre. .2014. *Customer Loyalty: Was ist sie? Wie kann man sie messen und verwalten*? Thought Perspective. Loyalty Research Centre. Indianapolis. USA.

Payne, A. & Frow, F. .2006, "Customers Relationship Management: from Strategy to Implementation", *Journal of Marketing Management* , 22, No 1, pp.135 -168.

Peppers, D., & Rogers, M. .2017. Managing Customer Experience and Relationships. 3. Auflage, John Wiley & Sons, Inc, Hoboken, New Jersey.

Porter, M. E. 1985. Wettbewerbsvorteil [Buch]. - New York : The Free Press.

Proctor, T. 2002. Strategisches Marketing; Auflage 1. Auflage; Erstveröffentlichung 2000; eBook veröffentlicht am 29. Juni 2000; Pub. Standort London; Impressum Routledge.

Sachdev, S. B. & Verman, H. V. 2004, Relative importance of service quality dimensions: Eine multisektorale Studie, Journal of Services Research, Vol. 4, No. 1, pp. 93-116

Salehi, S., Kheyrmand, M., Faraghian, H. .2015. Evaluation of the Effects of e-CRM on Customer Loyalty. 9th International Conference, 16April, Isfahan- Iran.

Salim, A., Setiawan, M., Rofiaty, R., Rohman, F. .2018. Focusing on Complaints Handling for Customer Satisfaction and Loyalty: The Case of Indonesian Public Banking. European Research Studies Journal, 21.3., 404-416.

Sharma, J., & Rather, R. .2015. Understanding The Customer Experience. International Journal on Customer Relations 3.2., 21-31.

Slack N, Chambers S und Johnson R 2007. Operations Management [Buch]. - Essex England : Pearson Education Limited, - 5th Edition.

Soltani, Z., & Navimipour, N. J. .2016. Customer Relationship Management Mechanismen: Ein systematischer Überblick über den Stand der Literatur und Empfehlungen für die zukünftige Forschung. Computers in Human Behavior, 61, 667-688.

Tao, F. (2014). Kundenbeziehungsmanagement auf der Grundlage der Steigerung der Kundenzufriedenheit. International Journal of Business and Social Science, 5.5.

Teixeira, J., Patrıcio, L., Nunes, N., Nobrega, L. .2012. Modellierung von Kundenerfahrungen: von der Kundenerfahrung zum Dienstleistungsdesign. Journal of Service Management 23 .3., 362-376.

Thakur R. & Summey, J. (2010), "Optimizing CRM: A Framework for Enhancing Profitability and increasing Lifetime Value of Customers", *Marketing Management Journal*, 20,No. 2, pp.140- 151

Tjiptono, Fandy und Gregorius Chandra. 2011. *Service, Qualität und Zufriedenheit 3.* Andy, Yogyakarta.

Tseng, C., & Huang, L. .2012. A Study of the Impact of the e-CRM Perspective on Customer Satisfaction and Customer Loyalty-Exemplified by Bank Sinopac. Journal of Economics and Behavioral Studies, 4.8., 467-476.

Unnikrishnan, A. & Johnson, B. .2012, "Customer Retention Strategies: Der Schlüssel zu Erfolg und Wachstum von Bharat Sanchar Nigam Ltd", *Journal of Institute of Public Enterprise*, 35, No. 1, pp. 33 - 44

Usman, U., Jalal, A., Musa, M. (2012). The Impact of Electronic Customer Relationship Management on Consumer's Behavior. International Journal of Advances in Engineering & Technology, 3.1., 500-504.

Vejacka, M., & Stofa, T. .2017. Der Einfluss von Sicherheit und Vertrauen auf die Akzeptanz von Electronic Banking in der Slowakei. E a M: Ekonomie a Management, 20.4., 135-150.

Vimala, V. (2016). An Evaluative Study on Internet Banking Security among Selected Indian Bank Customers. Amity Journal of Management Research 1.1., 63-79.

Vutete, C., Tumeleng, M., Wadzanayi, K. .2015. Customer Perceptions of Service Recovery and Complaints Handling Efforts by Commercial Banks in Zimbabwe. Journal of Business and Management, 17.7., 98-107.

Wang, M. Y. .2008. Messung der e-CRM-Dienstleistungsqualität im Bibliothekskontext: eine vorläufige Studie. The Electronic Library, 26 .6., 896-911.

Winer, R. S., 2001. Ein Rahmen für das Kundenbeziehungsmanagement. *California Management Review,* 43(4), S. 89-105.

WMG, W. M. G., 2009. *Strategisches Marketing,* Coventry, UK: University of Warwick.

Yin R K 2003. Fallstudienforschung, Design und Methoden. [Zeitschrift]. - [s.l.] : Thousand Oaks. California. Sage Publications - Dritte Ausgabe.

Zhang, M., Hu, M., Guo, L., Liu, W. .2017. Understanding relationships between customer experience, engagement, and word-of-mouth intention on online brand communities. Internet Research, 27.4., 839-857.

Zhu, T., Liu, B., Song, M., Wu, J. .2021. Effects of Service Recovery Expectation and Recovery Justice on Customer Citizenship Behavior in the E-Retailing Context. Frontiers in Psychology, 12, 1-15.

Zott, C., Amit, R. & Massa, L., 2011. Das Busines-Modell: Aktuelle Entwicklung und zukünftige Forschung. *Journal of Management,* 37(4), S. 1019-1042.

ANHANG A

CRM-FRAGEBOGEN FÜR PERSONAL (CRMQFS)

Dieser Fragebogen ist für den Zweck des Marketing Management, Forschung in Richtung eines MBA mit Business School Niederlande. Er ist ausschließlich für Forschungszwecke bestimmt und das Feedback wird vertraulich behandelt.

Bitte gehen Sie die folgenden Punkte des Fragebogens durch und kreuzen Sie das entsprechende Kästchen mit einem X an.

s/ n	Themen	Stimme voll und ganz zu	Zusti mmen	Nicht einverst anden	Stark ablehne nd
1	Die Organisation strebt nach Kundenzufriedenheit				
2	Die Beschwerden der Kunden werden umgehend bearbeitet				
3	Zufriedene Kunden bleiben der Bank treu und werden zu Botschaftern des Unternehmens				
4	Kundenbindung erhöht die Rentabilität				
5	Die Mitarbeiter der Zenith Bank verstehen die Bedürfnisse ihrer Kunden perfekt				
6	Die Mitarbeiter der Zenith Bank sind besser in der Lage, auf die Bedürfnisse der Kunden einzugehen.				
7	Die Zenith Bank ist sehr daran interessiert, die Präferenzen ihrer Kunden zu kennen und effektiv mit ihnen zu kommunizieren.				

8	Die Zenith Bank hat den starken Wunsch, eine geschätzte Beziehung zu ihren Kunden zu pflegen				
9	Kunden verlassen Organisationen mit dem Wunsch, wiederzukommen				
10	Die Kunden empfehlen die Organisation an ihre Geschäftspartner und Bekannten weiter				
11	Die Mitarbeiter sind in der Lage, ein Vertrauensverhältnis zu den Kunden aufzubauen.				
12	Je zufriedener ein Kunde ist, desto rentabler wird die Bank				
13	In der Zenith Bank nehmen die Mitarbeiter das Kundenbeziehungsmanagement ernst				
14	Die Zenith Bank bietet Stammkunden besondere Anreize und Privilegien.				
15	Es besteht der starke Wunsch, eine geschätzte Beziehung zu den Kunden zu pflegen				
16	Zenith Bank setzt auf Produkt-/Dienstleistungsdifferenzierung				
17	Die derzeitige Marketingstrategie der Zenith Bank ist wirksam				

18	Der Marketing-Mix ist für die Zenith Bank von entscheidender Bedeutung				
19	Die Zenith Bank hat eine Richtlinie für die Erbringung von Dienstleistungen				

ANHANG B

CRM-FRAGEBOGEN FÜR VERMÖGENDE KUNDEN (CRMQFHNWC)

1. Mitarbeiter, die Probleme der Kunden gut lösen

Stimme voll und ganz zu	Zustimmen	Nicht einverstanden	Stark ablehnend

1) Ein freundliches Auftreten haben

Stimme voll und ganz zu	Zustimmen	Nicht einverstanden	Stark ablehnend

2) Ein zugängliches Auftreten

Stimme voll und ganz zu	Zustimmen	Nicht einverstanden	Stark ablehnend

3) Effiziente Bedienung der Warteschlange zu diesem Zeitpunkt, um einen kontinuierlichen Ablauf zu gewährleisten

Stimme voll und ganz zu	Zustimmen	Nicht einverstanden	Stark ablehnend

4) Gepflegtes und professionelles persönliches Auftreten

Stimme voll und ganz zu	Zustimmen	Nicht einverstanden	Stark ablehnend

5) Gepflegtes persönliches Erscheinungsbild

Stimme voll und ganz zu	Zustimmen	Nicht einverstanden	Stark ablehnend

6) Gepflegtes und professionelles Auftreten

Stimme voll und ganz zu	Zustimmen	Nicht einverstanden	Stark ablehnend

7) leichte Erreichbarkeit, d. h. leichte Erreichbarkeit

Stimme voll und ganz zu	Zustimmen	Nicht einverstanden	Stark ablehnend

8) mit Ihnen in einer Sprache zu sprechen, die Sie verstehen können

Stimme voll und ganz zu	Zustimmen	Nicht einverstanden	Stark ablehnend

9) Verwendung einer klaren und verständlichen Sprache

Stimme voll und ganz zu	Zustimmen	Nicht einverstanden	Stark ablehnend

10) Verwendung einer leicht verständlichen Sprache

Stimme voll und ganz zu	Zustimmen	Nicht einverstanden	Stark ablehnend

11) Einen respektvollen Umgang pflegen

Stimme voll und ganz zu	Zustimmen	Nicht einverstanden	Stark ablehnend

12) ein freundliches Auftreten haben

Stimme voll und ganz zu	Zustimmen	Nicht einverstanden	Stark ablehnend

13) Die Bereitschaft, Sie zu unterstützen

Stimme voll und ganz zu	Zustimmen	Nicht einverstanden	Stark ablehnend

14) Ihre Transaktion schnell, d.h. ohne Verzögerung, abzuschließen

Stimme voll und ganz zu	Zustimmen	Nicht einverstanden	Stark ablehnend

15) Ihre Transaktion korrekt abschließen, d. h. gleich beim ersten Mal

Stimme voll und ganz zu	Zustimmen	Nicht einverstanden	Stark ablehnend

16) Verständnis für Ihre finanziellen Bedürfnisse zeigen

Stimme voll und ganz zu	Zustimmen	Nicht einverstanden	Stark ablehnend

17) Geschicklichkeit beim Ausfüllen Ihrer Anfrage beweisen

Stimme voll und ganz zu	Zustimmen	Nicht einverstanden	Stark ablehnend

18) Geschicklichkeit beim Abschluss Ihrer Transaktion beweisen

Stimme voll und ganz zu	Zustimmen	Nicht einverstanden	Stark ablehnend

19) Bereitstellung von nützlichen Informationen im Zusammenhang mit Ihrer Anfrage

Stimme voll und ganz zu	Zustimmen	Nicht einverstanden	Stark ablehnend

20) Bereitstellung von vorteilhaften Informationen zu Ihrer Transaktion

Starke Zustimmung	Zustimmen	Nicht einverstanden	Stark ablehnend

21) Die Extrameile gehen, um dem Kunden zu helfen

Stimme voll und ganz zu	Zustimmen	Nicht einverstanden	Stark ablehnend

22) Den Kunden als einzigartiges Individuum behandeln

Stimme voll und ganz zu	Zustimmen	Nicht einverstanden	Stark ablehnend

ANHANG C

FRAGEBOGEN ZU DIFFERENZIERUNGSMERKMALEN FÜR DIENSTLEISTUNGEN IN BANKEN (DFSDIBQ)

1) **Produktentwicklung**

Kompetenz: Berücksichtigung der Kundenpräferenzen und der Elastizität der Merkmale bei der Gestaltung jedes Angebots

Stimme voll und ganz zu	Zustimmen	Nicht einverstanden	Stark ablehnend

2) **Rentabilität der Kunden**

Kompetenz: Effektiver Einsatz von Marketing-Analysen und Nutzung des aktuellen und potenziellen Werts zur Identifizierung potenzieller Kunden.

Stimme voll und ganz zu	Zustimmen	Nicht einverstanden	Stark ablehnend

3) **Strategie der Branche**

Kompetenz: Positionieren Sie die Filialen so, dass sie aggressiv die Kunden anziehen, die sie anziehen wollen.

Stimme voll und ganz zu	Zustimmen	Nicht einverstanden	Stark ablehnend

4) **Kundensegmentierung**

Kompetenz: Identifizieren Sie aussagekräftige Segmente und ein wirtschaftlich tragfähiges, eindeutiges Kundenwertversprechen für jedes.

Starke Zustimmung	Zustimmen	Nicht einverstanden	Stark ablehnend

5) **Entwicklung von Kundenbeziehungen**

Kompetenz: Sorgen Sie für eine schnelle und effiziente Einarbeitung der Kunden, einschließlich der Möglichkeit eines einfachen Produktwechsels.

Starke Zustimmung	Zustimmen	Nicht einverstanden	Stark ablehnend

6) **Klarheit der Marke**

Kompetenz: Mitarbeiter und Kunden beschreiben die Marke effizient und konsistent auf die gleiche Weise.

Starke Zustimmung	Zustimmen	Nicht einverstanden	Stark ablehnend

7) **Optimierung der Kanalressourcen**

Kompetenz: Effizienter Einsatz von Kanalressourcen zur Steigerung des Kundennutzens.

Starke Zustimmung	Zustimmen	Nicht einverstanden	Stark ablehnend

8) **Kundenerfahrung**

Kompetenz: Ein einzigartiges Kundenerlebnis ermöglicht es der Bank, einen Preisaufschlag zu erzielen.

Stimme voll und ganz zu	Zustimmen	Nicht einverstanden	Stark ablehnend

9) **Kundenkommunikation**

Kompetenz: Verstehen Sie die Einstellungen und Ziele, die die Kaufentscheidungen ausgewählter Kunden motivieren.

Stimme voll und ganz zu	Zustimmen	Nicht einverstanden	Stark ablehnend

10) **Kauf des Produkts**

Kompetenz: Produkte sind leicht zu finden, einfach zu kaufen und unkompliziert.

Stimme voll und ganz zu	Zustimmen	Nicht einverstanden	Stark ablehnend

11) **Problemlösung**

Kompetenz: Kundenprobleme werden schnell und effektiv gelöst.

Stimme voll und ganz zu	Zustimmen	Nicht einverstanden	Stark ablehnend

12) **Kanalplanung**

Kompetenz: Das Transaktionsverhalten wird auf Kundenebene erfasst, es gibt verlässliche aktivitätsbasierte Kosten für alle Transaktionen über alle Kanäle, und diese Inputs werden effektiv für die Kanalplanung genutzt.

Stimme voll und ganz zu	Zustimmen	Nicht einverstanden	Stark ablehnend

13) **Integrierter Mehrkanalvertrieb**

Kompetenz: Kundeninformationen und -aktivitäten laufen nahtlos über alle Kanäle und ermöglichen es Kunden und Mitarbeitern, Transaktionen in Echtzeit abzuschließen und zu überprüfen.

Stimme voll und ganz zu	Zustimmen	Nicht einverstanden	Stark ablehnend

14) **Kundenorientierter Service**

Kompetenz: Die gesamte Organisation ist so organisiert, bewertet und vergütet, dass sie den Kunden unabhängig von internen Abteilungen oder Silos dienen kann.

Stimme voll und ganz zu	Zustimmen	Nicht einverstanden	Stark ablehnend

15) **Kontinuierliche Verbesserung der Dienstleistungen**

Kompetenz: Kundenzufriedenheit und -loyalität werden regelmäßig gemessen, und die Ergebnisse fließen in Initiativen zur Serviceverbesserung ein, die "Schmerzpunkte beseitigen und Momente der Freude schaffen".

Stimme voll und ganz zu	Zustimmen	Nicht einverstanden	Stark ablehnend

16) **Kundenmanagement**

Kompetenz: Der Produktbestand der Kunden wird ganzheitlich überwacht, und die Kunden werden proaktiv kontaktiert, um bessere Produktangebote zu besprechen, wenn sich ihre Bedürfnisse ändern.

Stimme voll und ganz zu	Zustimmen	Nicht einverstanden	Stark ablehnend

17) **Nutzen für die Beziehung**

Kompetenz: Bieten Sie Ihren Kunden einen transparenten und überzeugenden Mehrwert, der ihnen mehr Geschäft bringt.

Stimme voll und ganz zu	Zustimmen	Nicht einverstanden	Stark ablehnend

18) **Kundenorientierter Verkauf**

Kompetenz: Die Mitarbeiter müssen letztlich produkt- und kanalunabhängig sein und befähigt werden, angemessene Entscheidungen im Namen der Kunden zu treffen.

Stimme voll und ganz zu	Zustimmen	Nicht einverstanden	Stark ablehnend

19) **Bedarfsorientierter Verkauf**

Kompetenz: Ziel der Organisation ist es, den Kunden integrierte, bedarfsgerechte Lösungen zu bieten, um ihre Lebensereignisse zu ermöglichen

Stimme voll und ganz zu	Zustimmen	Nicht einverstanden	Stark ablehnend

20) **Entwicklung der Verkaufsressourcen**

Kompetenz: Die Organisation verfügt über einen institutionellen Vertriebsprozess, der sicherstellt, dass die Vertriebsressourcen effektiv auf den Wert abgestimmt sind, den die Bank für den Kunden und der Kunde für die Organisation erbringt.

Stimme voll und ganz zu	Zustimmen	Nicht einverstanden	Stark ablehnend

Milton Keynes UK
Ingram Content Group UK Ltd.
UKHW040822250224
438359UK00001B/71

9 786203 244267